El método Grönholm

JORDI GALCERAN

fundación

JORDI GALCERAN
El método Grönholm
Primera edición, 2006
Cuarta reimpresión, 2014

© De la obra: Jordi Galceran
© De la traducción al castellano: Jordi Galceran
© Para esta edición: Fundación SGAE

Coordinación editorial: Pilar López. Diseño gráfico: José Luis de Hijes. Maquetación: Equipo Nagual, S.L. Corrección: Néstor Romero. Logotipo de la colección: Francisco Nieva. Imprime: Navagraf, S.A.

Edita: Fundación SGAE
Bárbara de Braganza, 7, 28004 Madrid / publicaciones@fundacionsgae.org
www.fundacionsgae.org

D. L.: M-21162-2006   I.S.B.N.: 84-8048-700-3

El método Grönholm

La versión catalana se estrenó el 29 de abril del 2003 en el Teatre Nacional de Catalunya, en Barcelona

REPARTO

FERRAN	Jordi Boixaderas
MERCÈ	Roser Batalla
ENRIC	Lluís Soler
CARLES	Jordi Díaz

DIRECCIÓN **Sergi Belbel**

La versión castellana se estrenó el 13 de agosto de 2004 en el Palacio Teatro Valdés, en Avilés (Asturias)

REPARTO

FERNANDO	Carlos Hipólito
MERCEDES	Cristina Marcos
ENRIQUE	Jorge Roelas
CARLOS	Jorge Bosch

DIRECCIÓN **Tamzin Townsend**

Sala de reuniones de una empresa. Mobiliario de calidad. Parquet. Paredes forradas de madera. Encima de la mesa, botellas de agua y cuatro vasos. Un tapiz mironiano en la pared.

Al fondo, una puerta doble. En un lateral, una puerta más pequeña. Un gran ventanal deja entrar la última luz del atardecer. A través del ventanal, el cielo. Intuimos que la sala se encuentra en un piso alto.

En una de las sillas está sentado Fernando Porta, un hombre de unos treinta y ocho años. Atractivo. Traje elegante y moderno. Delante de él, encima de la mesa, un maletín de ejecutivo.

Después de unos segundos, Fernando mira a su reloj, saca de su maletín un periódico de información económica y comienza a hojearlo.

Suena un móvil. Fernando se lo saca del bolsillo y lo conecta.

FERNANDO.— *(Al móvil)* ¿Sí...? Hola, chaval... Ya estoy aquí. Sí, esperando...

Por la puerta doble, entra Enrique Font. Fernando parece no verlo.

Hostia, ¿esta noche a cenar...? ¿Y por qué quedas sin decírmelo? No, no iré. No lo sé, tú mismo... Paso de lamer el culo a estos catalanes por cuatro duros. Oye, estoy a un paso de conseguir un puesto de cojones, o sea que, por mí, les puedes decir que se vayan a tomar por saco... Estoy harto de bajarme los pantalones delante de esos gilipollas... Nunca más. Te lo juro.

Fernando ve a Enrique.

FERNANDO.— *(Al móvil)* Tengo que dejarte.

Fernando guarda el móvil. Enrique es un hombre rellenito, que supera la cuarentena. También lleva traje, pero no tan moderno como el de Fernando. Maletín de ejecutivo en mano, un maletín más usado que el de Fernando.

ENRIQUE.— Buenas tardes.

FERNANDO.— Buenas tardes.

ENRIQUE.— Me han dicho que la entrevista es aquí...

FERNANDO.— Sí, a mí también.

ENRIQUE.— ¿Usted es de la empresa...?

FERNANDO.— No, no. Soy un candidato al...

ENRIQUE.— Ah, yo también.

FERNANDO.— Encantado.

ENRIQUE.— Igualmente.

Se dan la mano. Enrique deja su maletín encima de la mesa. Hay unos segundos de silencio.

¿Te han dicho algo?

FERNANDO.— No. Nada.

ENRIQUE.— Curioso, todo esto, ¿no?

FERNANDO.— Sí.

ENRIQUE.— Técnicas no convencionales.

FERNANDO.— Eso parece.

ENRIQUE.— Cuando me lo propusieron... No sé. No es... habitual. ¿Cuántos somos, nosotros dos?

FERNANDO.— No sé. Hay cuatro vasos.

ENRIQUE.— Quizá son para los que nos tienen que entrevistar.

FERNANDO.— Quizá.

ENRIQUE.— Esto de la entrevista conjunta es un poco... Como poco, original. Y más para un puesto de este nivel. Normalmente, es todo más confidencial.

FERNANDO.— A mí, esto...

ENRIQUE.— No, a mí también, pero vaya... Tú y yo no nos conocemos. Pero sería posible que nos encontráramos con alguien conocido.

FERNANDO.— ¿Y qué?

ENRIQUE.— Hombre, sería un poco embarazoso.

Enrique se sienta. Unos instantes de silencio.

¿Has venido en coche?

FERNANDO.— Sí.

ENRIQUE.— Yo también. Vaya tráfico, ¿no?

FERNANDO.— Como cada día.

ENRIQUE.— Yo ya he pasado tres entrevistas. No sé qué más quieren saber de mí. Y tú, ¿cuántas?

FERNANDO.— Tres.

ENRIQUE.— Como yo.

Enrique saca una cajita de caramelos.

¿Un mentolín?

FERNANDO.— No, gracias.

ENRIQUE.— Yo no tenía muchas esperanzas de llegar hasta aquí. Vengo de una empresa pequeña, y esto es... Bueno, en todo esto de los muebles y el bricolaje, es la segunda del mundo.

FERNANDO.— Una empresa es una empresa.

ENRIQUE.— Sí, pero yo nunca he trabajado en una multinacional. ¿Y tú?

FERNANDO.— Yo he trabajado en muchos sitios.

ENRIQUE.— Y las condiciones son increíbles. El sueldo es... Bueno, no sé qué debes ganar tú, pero yo casi doblaría... Me preocupaba llegar tarde. Estaba ya en la Castellana, parado, y pensaba, "Llegarás tarde y quedarás fatal". Estas cosas son importantes. A veces, son los pequeños detalles los que inducen a tomar una decisión. Yo he contratado gente y, al final, lo que me lleva a decidir son los pequeños detalles. La manera de vestir, la forma cómo me han dado la mano... Y el coche. Siempre que puedo los acompaño hasta su coche. Un coche dice mucho de su propietario... Un coche, habla. A veces te encuentras con un tipo que parece muy aseado y tiene el coche hecho una mierda.

FERNANDO.— Tranquilo. No has llegado tarde.

Por la puerta doble entran Mercedes Degás y Carlos Bueno. Treinta y pocos. Mercedes lleva un elegante traje de chaqueta. Carlos, más informal, pantalones y americana de sport, sin corbata. Pendiente en una oreja.

CARLOS.— *(A Mercedes)* Pasa, pasa.

MERCEDES.— No, pasa tú.

CARLOS.— Por favor.

MERCEDES.— *(Sonriendo)* ¿Por qué? ¿Por que soy una mujer?

CARLOS.— Sí, porque eres una mujer.

MERCEDES.— De acuerdo, paso. Pero no porque sea una mujer. *(A los otros)* Buenas tardes.

FERNANDO Y ENRIQUE.— Buenas tardes.

CARLOS.— Buenas tardes. *(Presentándose)* Carlos Bueno.

Carlos ofrece su mano a Fernando.

FERNANDO.— Fernando Porta.

Todos van estrechando sus manos a la vez que se presentan.

MERCEDES.— Mercedes Degás.

ENRIQUE.— Enrique Font.

Todos se dan la mano.

CARLOS.— ¿Son ustedes quienes nos van a entrevistar?

ENRIQUE.— No, no, somos... entrevistados, también.

CARLOS.— ¿Los dos? Nosotros también.

MERCEDES.— ¿Y quién nos entrevista?

ENRIQUE.— No lo sabemos todavía.

Mercedes y Carlos dejan sus cosas.

MERCEDES.— Tres hombres y una mujer. Como siempre.

CARLOS.— El veinticinco por ciento. Políticamente correcto.

MERCEDES.— Siempre tan gracioso, tú. Lo siento, pero ahora lo políticamente correcto es el cincuenta por ciento.

ENRIQUE.— ¿Os conocéis?

CARLOS.— Estudiamos juntos.

MERCEDES.— Bueno, yo estudié un poco más que él.

CARLOS.— "La Matrículas" la llamábamos. Lo tenemos crudo con ésta.

ENRIQUE.— ¿Lo ves? Ya te lo había dicho. Era lógico que alguien se conociese.

CARLOS.— ¿Y qué tenemos que hacer ahora?

FERNANDO.— Esperar, supongo.

MERCEDES.— ¿Nos harán la entrevista a los cuatro juntos?

CARLOS.— Eso me dijeron a mí. Una entrevista conjunta con todos los candidatos.

Pausa.

ENRIQUE.— ¿Habéis venido en coche?

CARLOS.— Yo, sí.

ENRIQUE.— Vaya tráfico, ¿no?

CARLOS.— Horrible.

ENRIQUE.— Suerte que tienen parking, porque si no...

CARLOS.— Sí, aquí, para aparcar, es imposible.

ENRIQUE.— ¿También habéis hecho tres entrevistas, vosotros?

CARLOS.— Yo, sí.

MERCEDES.— Yo, también.

ENRIQUE.— Y ésta es la cuarta. He pasado otras veces por esto, y nunca me habían hecho cuatro entrevistas. No sé qué más quieren saber de mí...

En una de las paredes laterales se abre una puertecita. Se abate de arriba hacia abajo, deteniéndose a cuarenta y cinco grados. Es como un buzón que, hasta ahora, había quedado disimulado en la pared. Mercedes es la que se encuentra más cerca de él.

MERCEDES.— ¡Eh! Se ha abierto esto.

Un momento de silencio.

CARLOS.— Pues mira a ver qué hay.

Mercedes lo mira. El buzón se cierra.

MERCEDES.— Un sobre y un cronómetro.

FERNANDO.— ¿Un cronómetro?

MERCEDES.— Digital.

CARLOS.— ¿Pone algo en el sobre?

MERCEDES.— No. ¿Lo abro?

FERNANDO.— ¿Y a mí qué me cuentas? No lo sé.

Mercedes abre el sobre.

MERCEDES.— *(Leyendo)* "Buenos días y bienvenidos. Como ya les avanzamos, ésta es la fase final del proceso de selección para acceder al cargo de director comercial de Dekia. Ustedes son nuestros últimos aspirantes. Sabemos que ésta no es una prueba habitual. Seguimos el protocolo establecido por nuestra central en Suecia. Si en cualquier momento consideran que alguna de las propuestas que les haremos no es aceptable para ustedes, pueden abandonar el proceso. La puerta está abierta. Sin embargo, si salen de esta sala, sea por el motivo que sea, entenderemos que renuncian a continuar aspirando al cargo. La primera prueba es la siguiente. Les hemos dicho que son los últimos aspirantes, pero no son los últimos cuatro aspirantes. Sólo hay tres auténticos aspirantes. Uno de ustedes es un miembro de nuestro departamento de selección de personal. Con el sobre han encontrado un cronómetro. Tienen diez minutos para averiguar quién entre ustedes no es un auténtico candidato. Por favor, pongan en funcionamiento el cronómetro. Es el botón de la derecha." Y ya está.

CARLOS.— Cojones.

ENRIQUE.— A ver, un momento... O sea, uno de nosotros no es...

CARLOS.— Está bien claro.

MERCEDES.— Y tenemos que averiguar quién es.

FERNANDO.— Pensaba que esto sería una entrevista.

MERCEDES.— Yo tengo que hacer alguna cosa con el reloj.

ENRIQUE.— Aquí hay un candidato que no es candidato. Y tenemos que descubrir quién es.

CARLOS.— Eso ya lo hemos entendido.

ENRIQUE.— Qué buena.

FERNANDO.— ¿Buena?

ENRIQUE.— La prueba. Descubrir quién miente. Es buena, porque, claro, cuando hemos entrado, todos pensábamos que éramos iguales, que éramos candidatos, y ahora resulta que no.

MERCEDES.— ¿Qué, lo pongo en marcha?

Mercedes pulsa el botón del cronómetro.

Diez minutos.

ENRIQUE.— A ver, situémonos. Uno de nosotros no es... real.

Pausa. Los cuatro se miran.

MERCEDES.— O sea, que el entrevistador es uno de vosotros.

FERNANDO.— Tal vez eres tú.

MERCEDES.— ¿Yo? No, yo no lo soy.

FERNANDO.— Hay alguien que está fingiendo. Puede ser cualquiera.

ENRIQUE.— Tenemos diez minutos. No es mucho tiempo. Creo que es más rápido descartarnos que no intentar descubrir directamente quien es el impostor.

FERNANDO.— *(Irónico)* El impostor.

ENRIQUE.— Hay algo que, en principio, está claro. Vosotros dos os conocéis.

Mercedes y Carlos se miran.

CARLOS.— Pero hace tiempo que no nos veíamos.

ENRIQUE.— Pero si uno de vosotros es el falso candidato, lo podréis averiguar más fácilmente. Sabéis cosas el uno del otro. Sólo tenemos diez minutos. Os interesa descartar rápido, así tenéis una persona menos de quien preocuparos. ¿Qué decís?

MERCEDES.— Un momento. Déjame pensar.

CARLOS.— Las cosas que yo sé de Mercedes son de hace tiempo, tampoco es...

MERCEDES.— Espera, Carlos. Antes de hablar, piensa.

CARLOS.— ¿Qué quieres que piense?

MERCEDES.— Sólo somos cuatro.

CARLOS.— Sí, ¿y qué?

MERCEDES.— Nada. Piensa en lo que nos han pedido. Se trata de ver quién es capaz de descubrirlo y quién no es capaz.

CARLOS.— Ah, ya.

Carlos mira a Fernando y a Enrique.

FERNANDO.— No nos dirán nada.

ENRIQUE.— ¿Por qué?

FERNANDO.— Porque si saben algo, lo saben, y lo que no harán es decírnoslo a nosotros, porque nos darían una ventaja que no tienen por qué darnos. Es lo que yo haría.

ENRIQUE.— No lo entiendo.

FERNANDO.— Coño, que estamos compitiendo entre nosotros. No soltarán ninguna información que no les interese soltar. No, en realidad, la cosa tiene su intríngulis. No se trata sólo de averiguar quién está fingiendo, sino también de conseguir que los demás se equivoquen, porque si los tres averiguamos quién es el falso ya me dirás tú para qué sirve la prueba. Todo el mundo gana, y entonces, qué.

ENRIQUE.— El papel decía que teníamos que descubrir quién era el falso. No decía que tuviéramos que competir entre nosotros.

FERNANDO.— Hombre, eso ya está claro. No hace falta decirlo. Somos tres y sólo hay un puesto. Estamos compitiendo.

MERCEDES.— No, él tiene razón. Pensándolo bien, lo que debemos hacer es colaborar.

CARLOS.— ¿Colaborar?

MERCEDES.— Sí, tú hazme caso. Yo no había visto a Carlos desde la última cena de Esade... Hace dos o tres años.

CARLOS.— Dos.

MERCEDES.— Y entonces trabajaba en un laboratorio farmacéutico.

CARLOS.— Y aún trabajo allí.

MERCEDES.— Es verdad. Me encontré a un compañero hace poco y me lo dijo. Por lo tanto, él no puede ser.

CARLOS.— Y tú, Mercedes, estabas en una empresa de consulting. Pero no recuerdo cuál era...

MERCEDES.— ICR.

CARLOS.— ¿Aún trabajas allí?

MERCEDES.— No, ahora estoy en un banco. Y no os diré cual es, si no os importa.

> *Unos segundos de silencio. Fernando y Enrique valoran las palabras de Mercedes y Carlos.*

FERNANDO.— ¿Lo ves?

ENRIQUE.— ¿El qué?

FERNANDO.— Que esto no sirve de nada. Pueden estar mintiendo los dos. Si uno de ellos es el falso, ha mentido, y el otro, si lo sabe, no nos dirá que miente, porque ya sabe que él es el falso y no va a revelarlo.

ENRIQUE.— ¡Hostia, qué difícil!

FERNANDO.— Ellos ya nos han contado su situación laboral, nos la podemos creer o no. Contemos nosotros la nuestra y estaremos los cuatro en las mismas condiciones.

MERCEDES.— Me parece que te equivocas en una cosa. Esta prueba no es para determinar cuál de nosotros es el más listo, sino para evaluar nuestra capacidad de trabajar en equipo. Tengámonos confianza. Trabajemos juntos para descubrir quién es el falso.

FERNANDO.— Muy bonito. Pero como el falso no dirá que es falso, no podemos trabajar juntos. No podemos tenernos confianza.

CARLOS.— A mí me parece bien lo que has dicho... tú.

FERNANDO.— Fernando.

CARLOS.— Eso, Fernando. Decid de dónde venís vosotros dos.

ENRIQUE.— Yo soy el director comercial de una empresa de alimentación.

FERNANDO.— ¿De cuál?

ENRIQUE.— Ella no ha dicho en qué banco trabaja.

FERNANDO.— Fantástico. Pues yo también soy director comercial. De un laboratorio. Y por eso me extraña no conocerte. *(A Carlos)*. Yo trabajo en Disfarma, no tengo ningún inconveniente en decirlo. ¿En qué laboratorio trabajas, tú?

CARLOS.— Pues yo tampoco lo voy a decir. Y ahora que sé que tú trabajas en el mismo sector, aún menos.

MERCEDES.— Yo sé donde trabaja. Y dice la verdad.

FERNANDO.— ¿Y cómo puedo saber que tú dices la verdad?

MERCEDES.— ¿Por qué tendría que mentir?

FERNANDO.— Acabo de decirlo, porque si tú sabes que él trabaja aquí, mantendrás su historia del laboratorio, porque no te interesa darnos ventaja.

MERCEDES.— Si no quieres no me creas, pero tenemos que actuar en equipo. Lo importante es que entre los tres auténticos colaboremos para encontrar... al impostor, como dice él. Mentir iría en mi contra.

FERNANDO.— Pues dinos en qué banco trabajas, no nos lo escondas. Mentir va en tu contra, ¿no?

Mercedes valora lo que debe hacer.

CARLOS.— Yo trabajo en Rawental. Antes no lo he dicho porque... Porque no. Pero creo que es mejor que nos vayamos descartando, como él dice.

FERNANDO.— ¿En Rawental? ¿Desde cuándo?

CARLOS.— Cinco años.

FERNANDO.— ¿Conoces a Félix Garrido?

CARLOS.— Nnnno, ¿quién es?

FERNANDO.— ¿Y a Laura..., Laura Sánchez?

CARLOS.— Conozco una Laura Vázquez.

FERNANDO.— Sí, tienes razón. Se llama Laura Vázquez.

CARLOS.— ¿Quién es Félix Garrido?

FERNANDO.— Mi primo. Capitán de la marina mercante. ¿Cuánto llevamos?

Mercedes mira el cronómetro.

MERCEDES.— Cuatro, casi.

FERNANDO.— Pues vayamos descartando. Para mí... Carlos es bueno.

ENRIQUE.— Sí, pero tú puedes estar haciendo lo que antes has dicho que haría ella. Quizá sabes que miente y le sigues la corriente para que nosotros nos equivoquemos.

FERNANDO.— Si yo le sigo la corriente, ella también.

CARLOS.— Yo no miento, y nadie me sigue ninguna corriente, pero tú... Mira, lo siento, pero yo conozco al director comercial de Disfarma, y no te pareces en nada.

FERNANDO.— ¿Y quién es el director comercial?

CARLOS.— Dímelo tú.

FERNANDO.— Víctor Dunsberg.

CARLOS.— Pero tú has dicho que eras...

FERNANDO.— Director comercial, pero de la delegación de Extremadura.

CARLOS.— No lo conozco, al de Extremadura.

FERNANDO.— Ya no podrás decirlo.

ENRIQUE.— Y ahora podéis estar mintiendo los dos.

FERNANDO.— ¿Y ella también?

ENRIQUE.— Si ella miente, tú también mentirás.

FERNANDO.— Si ella ha mentido, es su problema. ¿Por qué tengo que mentir yo, si miente ella?

ENRIQUE.— Porque te sumas a su mentira para engañarme a mí.

MERCEDES.— Yo no he dicho ninguna mentira. Nadie puede sumarse a una mentira que no he dicho.

ENRIQUE.— Quizá no, quizá no has dicho ninguna mentira, pero si él *(Fernando)* se ha dado cuenta de que él *(Carlos)* miente, creerá que tú también has mentido y se añadirá a tu mentira aunque no sea mentira.

FERNANDO.— Chaval, que te estás liando.

ENRIQUE.— No, señor. Si él no es lo que ha dicho que es, y vosotros sabéis que miente, me mentiréis a mí para mantener la mentira.

FERNANDO.— No pienses tanto, que ya se ve que no estás muy acostumbrado.

ENRIQUE.— Estoy intentando aclararme.

FERNANDO.— Ya te lo aclaro yo. Si yo mintiera, si yo fuera el impostor, ya sabría que él trabaja en un laboratorio, porque hemos hecho varias entrevistas para llegar hasta aquí. Hemos dado nuestro currículum. Si yo fuera de la empresa lo sabría todo sobre él y me habría buscado una historia distinta, no que trabajo en un laboratorio, porque él podría descubrir que miento a la primera de cambio.

Los otros tres se miran.

ENRIQUE.— ¿Me lo puedes repetir?

FERNANDO.— Que Carlos me pregunte lo que quiera sobre el trabajo.

CARLOS.— No, no hace falta perder el tiempo. Yo me lo creo. Tenéis que ser uno de vosotros dos. Tú, Mercedes, eso del banco me escama. Alguien me lo habría comentado.

MERCEDES.— Es posible, pero, por la misma razón, si trabajase aquí también te lo habría comentado alguien.

CARLOS.— También tienes razón.

MERCEDES.— Ya que estamos sincerándonos: trabajo en el Banco del Mediterráneo y soy directora de la sección de marketing.

CARLOS.— ¿Desde cuándo?

MERCEDES.— Medio año.

CARLOS.— Medio año. ¿Y ya quieres cambiar?

MERCEDES.— Sí, ¿qué pasa?

CARLOS.— No, nada.

FERNANDO.— *(A Enrique)* Faltas tú.

ENRIQUE.— Ya lo tengo. Ya lo tengo... Estamos haciendo el... Nos están tomando el pelo.

FERNANDO.— ¿Ellos?

ENRIQUE.— No. Nosotros nos hemos creído que hay un candidato falso porque nos lo han dicho, pero lo que me parece es que los cuatro somos candidatos reales y no hay ningún impostor.

CARLOS.— Entonces, ¿para qué sirve esta comedia?

ENRIQUE.— Pues para eso, para ver si somos capaces de darnos cuenta de que nos están engañando. En los Estados Unidos, este tipo de pruebas en los procesos de selección es habitual. Te ponen problemas, enigmas, para ver si eres capaz de visualizar situaciones desde una óptica nueva. Aquí, de lo que se trata es de que todos creamos que el problema es que hay un candidato falso, que alguien de los que estamos aquí está engañando a los demás cuando, en realidad, los que nos han engañado, de buenas a primeras, son ellos.

CARLOS.— No. Y por una razón muy sencilla. No tiene ningún sentido que nosotros estemos aquí intentando demostrar nuestra perspicacia, si no hay nadie que lo valore.

ENRIQUE.— ¿Cómo que no hay nadie? Nos están valorando desde el exterior. Seguro que hay micrófonos y nos están oyendo. O incluso cámaras.

CARLOS.— ¿Cámaras?

ENRIQUE.— Se deja a los candidatos en una situación en la que creen que están solos y se observa cómo actúan.

CARLOS.— ¿Y dónde están las cámaras?

ENRIQUE.— No lo sé. Pueden estar escondidas en cualquier lugar. En las lámparas... Yo qué sé. Hay mil maneras.

Los cuatro echan una mirada a la sala.

CARLOS.— ¿Quieres decir...?

FERNANDO.— Mira, lo que dices suena tan bien, que no me lo creo. Tú eres el candidato falso. Eres el único que no nos ha dicho dónde trabaja. Y este conocimiento tan completo sobre este tipo de pruebas me demuestra que formas parte del equipo de selección.

MERCEDES.— Sí, yo estoy contigo. Además, se ha sacado de la manga ese razonamiento cuando ya estaba acorralado. Al ver que nosotros tres ya estábamos fuera y él tenía todos los números, sale con la historia esta de que nos están engañando.

CARLOS.— No lo sé. A mí, lo que ha dicho me cuadra. Que se explique un poco más.

FERNANDO.— Primero, que nos diga cuál es esa empresa de alimentación en la que trabaja.

ENRIQUE.— No os lo diré.

CARLOS.— ¿Por qué?

ENRIQUE.— Porque no quiero. No lo encuentro necesario.

CARLOS.— *(A Mercedes)* ¿Tiempo?

MERCEDES.— Nos quedan dos minutos y... medio.

CARLOS.— No nos lo quiere decir porque está convencido de que tiene razón, y como antes decía Fernando de nosotros dos, no dirá nada más que nos pueda ayudar. Si nos dijera donde trabaja y fuera creíble, todos nos apuntaríamos a su solución, y quiere ganar él solo. Así, por lo tanto, yo creo que acierta. Los cuatro somos auténticos.

FERNANDO.— Mira, no. Además, cuando ha entrado, antes de que llegarais vosotros, estaba muy preocupado por sorprenderse del sistema de selección. "Técnicas no convencionales", me ha dicho. Y luego ha empezado a enrollarse sobre como había escogido a sus empleados... Me ha extrañado su actitud desde el principio.

ENRIQUE.— ¿Qué actitud?

FERNANDO.— Has dicho no sé qué de que este sistema era extraño, de la confidencialidad... como si te pusieras en contra. Si fueses un candidato auténtico harías como... nosotros: una entrevista conjunta, ningún problema. ¿Entendéis lo que quiero decir? No es normal.

ENRIQUE.— Lo que no es normal es lo que dices tú.

FERNANDO.— Eres tú, compañero. Ahora lo tengo clarísimo.

ENRIQUE.— Podría daros un montón de razones para convenceros de que estoy en lo cierto, pero no lo haré. Si os queréis equivocar, vosotros mismos.

FERNANDO.— Nos podría dar un montón de razones, pero no nos las da.

ENRIQUE.— Porque no quiero. Y aún he sido demasiado bueno. Tendría que haber esperado que pasasen los diez minutos, que la cagaseis, y luego daros la solución.

FERNANDO.— ¿No decías que teníamos que colaborar?

MERCEDES.— Nos queda... nada. Tenemos que decidirnos.

CARLOS.— Yo estoy con él. Los cuatro somos auténticos.

ENRIQUE.— Yo, ya lo sabéis.

FERNANDO.— Yo digo que es él.

ENRIQUE.— Enrique Font, para servirle.

FERNANDO.— No creo ni que te llames así. Faltas tú.

MERCEDES.— No lo sé. No estoy segura.

CARLOS.— No dudes tanto. No queda bien. Nos están observando.

MERCEDES.— Venga, yo también digo que es... Enrique.

Pausa.

FERNANDO.— ¿Y ahora, qué?

Se abre de nuevo la puertecita.

CARLOS.— Ahora lo sabremos. Mercedes, si quieres hacer los honores. Y no porque seas una mujer.

Mercedes va a buscar lo que hay dentro del buzón. Saca un sobre y un cenicero.

MERCEDES.— Enrique Font. En el sobre está escrito tu nombre.

Enrique va a buscar el sobre y lo abre. Lo lee sin decir nada.

FERNANDO.— Lee en voz alta, hombre.

ENRIQUE.— No, no puedo.

Enrique acaba de leer y vuelve a poner el sobre en el buzón. El buzón se cierra.

MERCEDES.— ¿Qué, quién tenía razón?

CARLOS.— ¿Qué ponía?

ENRIQUE.— Quien quiera fumar, puede fumar.

Mercedes pone el cenicero en medio de la mesa. Enrique se sienta. Pone las manos sobre su cabeza, pensativo. Los demás lo observan.

FERNANDO.— Pero, ¿quién ha ganado?

ENRIQUE.— No lo ponía.

MERCEDES.— ¿No ponía nada?

ENRIQUE.— De esto, no.

CARLOS.— En consecuencia, él y yo teníamos razón. Todos somos buenos. Me parece que vosotros vais perdiendo. ¿Qué tenemos que hacer ahora?

Enrique aún tiene las manos en la cabeza. Parece muy preocupado.

ENRIQUE.— No lo sé.

CARLOS.— ¿Qué ponía en el papel?

ENRIQUE.— Me piden... No sé qué tengo que hacer...

MERCEDES.— ¿No lo sabes? ¿No lo has entendido?

ENRIQUE.— Sí, sí que lo he entendido.

CARLOS.— ¿Y qué?

ENRIQUE.— Venga, intentaré... Intentaré explicarlo bien. *(Una pequeña pausa)* Yo creo que en una empresa lo más importante es obtener resultados, y eso está por encima de cualquier otra consideración.

CARLOS.— ¿Y...?

ENRIQUE.— Pero, al mismo tiempo, creo que en las grandes empresas, en las buenas empresas, también se tiene que velar para lograr una dimensión humana, para conseguir que los empleados se sientan orgullosos de trabajar en ella. Esto es lo que yo creo.

Unos segundos de silencio.

FERNANDO.— Estoy completamente de acuerdo. Y, además, cuando una empresa sabe tener en cuenta el bienestar de los empleados esto se refleja en unos mejores resultados.

ENRIQUE.— Déjame terminar, por favor.

FERNANDO.— Pensaba que ya habías terminado y que teníamos que comentar.

ENRIQUE.— No. A ver... Quizá no he comenzado bien. No, sí que he comenzado bien. Esto tenía que quedar claro antes que... Lo que os voy a contar... La verdad es que no sé... Bueno, es igual. El año pasado me separé de mi mujer. No me lo esperaba. No me lo esperaba en absoluto. Y entré en una depresión.

CARLOS.— ¿Qué dices?

MERCEDES.— Déjale.

ENRIQUE.— Mi mujer se dio cuenta... Bueno, el motivo es indiferente. Yo tengo dos hijos pequeños y ella se los llevó. La separación fue difícil. Como todas, supongo. Pero llegó un momento en que estallé. No digo que no sepa soportar la presión, pero sucedieron un sinfín de cosas que no esperaba. Me sentí como... culpable. Era una sensación... Tenía la sensación de que estropeaba todo lo que tocaba. Porque yo... Mi mujer y yo éramos felices. Sinceramente. Ya sé que todo el mundo dice lo mismo, pero en nuestro caso es verdad. Lo éramos. Ella misma me lo ha reconocido. El caso es que, de repente, me encontré solo en un piso de alquiler, sin... Yo tengo pocos amigos. No podía hablar con nadie y me fui cerrando en mí mismo.

FERNANDO.— Perdona, pero antes de que continúes esta bonita historia, ¿nos podrías decir a qué viene este psicodrama, para situarnos, más que nada?

ENRIQUE.— Enseguida lo sabrás. Antes os quiero contar otra cosa. ¿Conocéis el mundo de los *chats*? Internet y todo esto... Bien, empecé a meterme. Para hablar con alguien. Un día quedé con una chica. Del *chat*, quiero decir. Nos vimos un día, fuimos a hacer un café y muy bien... Era... Era muy guapa. Hablamos. Yo, hacía tiempo que no podía hablar con nadie. Volvimos a quedar otro día y la llevé a mi casa. Yo estaba... Tenía ganas de... No es que tuviera ganas de... Lo que quiero decir es que estaba hecho polvo. Cuando llegamos al piso, sacó una pistola y me amenazó.

MERCEDES.— ¿Una pistola?

ENRIQUE.— Sí, y entonces vino un hombre. Me robaron todo lo que tenía en casa.

CARLOS.— ¿Nos tomas el pelo, no?

FERNANDO.— Hace rato.

ENRIQUE.— Luego me llevaron a un par de cajeros y sacaron todo lo que pudieron de las tarjetas. Es la primera vez que lo cuento, porque quiero que entendáis que creo que fue esto lo que terminó de rematarme. A partir de aquí, perdí el control.

FERNANDO.— Perdiste el control, ¿de qué? ¿De qué coño habla?

CARLOS.— ¿Y yo qué sé?

ENRIQUE.— Comencé a encontrarme mal. El médico me quería dar la baja, pero yo no la quise coger. Estábamos a punto de abrir una fábrica en el extranjero y yo llevaba dos años trabajando en la apertura del nuevo mercado en..., en ese país extranjero. El caso es que quizá tendría que haber hecho caso al médico porque mi rendimiento bajó, lo reconozco, tomé decisiones..., tenía que tomar muchas decisiones, tenía que invertir el presupuesto en... Todo el mundo tenía prisa y la dirección confiaba en mí... Me equivoqué. Me asocié con una empresa local y... bueno, la cosa no fue tan bien como estaba previsto. Yo creía que si me centraba en el trabajo, esto me ayudaría a superar mis problemas personales, pero no. Fue a peor. Total, que ahora parece bastante difícil enderezar la situación y la empresa está pensando en... Yo, hasta ahora, en otros proyectos he conseguido muy buenos resultados y mi valía profesional está fuera de toda duda, al menos esto es lo que dicen ellos, pero las cosas han ido como han ido y es natural que, ante esta situación, mis jefes tengan que tomar una decisión sobre mí, sobre mi futuro. Y ahora llego a lo que os interesa. Lo que me han pedido es que seáis vosotros quienes toméis esta decisión, que penséis como si fuerais mi empresa. Tenéis que decidir si continúo en el proyecto del extranjero, si me asignáis una nueva línea de trabajo o si, sencillamente, prescindís de mí, me despedís.

CARLOS.— ¿Nosotros?

ENRIQUE.— Sí.

MERCEDES.— ¿Esto es lo que te han pedido?

ENRIQUE.— Sí.

CARLOS.— Pero, ¿es un caso teórico o real?

ENRIQUE.— ¿Qué diferencia hay?

FERNANDO.— Es que yo, compañero, aún no tengo claro si tú eres un candidato al trabajo o eres de aquí o qué coño eres.

MERCEDES.— Muy bien. De acuerdo. Juguemos. Pero con lo que has contado no tenemos suficientes elementos para decidir nada.

ENRIQUE.— Preguntad.

FERNANDO.— No entiendo nada. Este sistema de selección es la polla. Con perdón.

CARLOS.— Empiezo yo. ¿Por qué te dejó tu mujer?

ENRIQUE.— No contestaré a esto.

CARLOS.— ¿No has dicho que preguntemos?

ENRIQUE.— Sí, pero contestaré aquello que quiera.

CARLOS.— Si comenzamos así, vamos mal.

ENRIQUE.— El motivo por el cual me dejó no es relevante.

CARLOS.— A ver... Somos nosotros los que tenemos que tomar la decisión, ¿no? Por lo tanto, somos nosotros quienes tenemos que determinar lo que es relevante y lo que no lo es.

ENRIQUE.— Ya os he explicado bastantes miserias de mi vida.

FERNANDO.— En eso tienes razón. La historia esta de la niña del *chat* da pena, guapo.

MERCEDES.— Pongámonos en el papel. Juzguemos el caso desde un punto de vista profesional.

CARLOS.— Eso es lo que intento, y por eso pregunto lo que pregunto. Como directivo de tu empresa, que es lo que soy ahora, me parece que tengo que hablarte con claridad. Si no quieres contestar, no contestes, no te puedo obligar a ello, pero si te interesa conservar tu trabajo te aconsejo que seas mínimamente sincero, porque si no colaboras te vas a la calle *ipso facto* y me importa una mierda la indemnización que te tenga que dar. ¿Te ha quedado claro?

FERNANDO.— Venga, juguemos. Pero de hecho, él tiene razón. No veo qué sacaremos con saber por qué lo dejó su mujer. Quizá se fue con otro o estaba harta de vivir con un tío tan insípido o se ligó a un negro... o lo que sea. Ya me dirás tú de qué nos servirá saberlo.

CARLOS.— A mí sí que me servirá. Quiero conocer las causas de su situación personal, porque estos conflictos, según como evolucionan, tienen una traslación directa al rendimiento laboral.

FERNANDO.— ¡Qué bien que hablas! Se nota que has estudiado en la privada.

ENRIQUE.— Mi mujer descubrió que había tenido una... aventura.

FERNANDO.— ¿Tú?

ENRIQUE.— Sí.

FERNANDO.— Ahora sí que no me creo nada.

MERCEDES.— Da igual, si es cierto o no. Tenemos que trabajar con los elementos que él nos dé.

CARLOS.— ¿Con quién tuviste esa aventura?

ENRIQUE.— Con una comercial de la empresa.

FERNANDO.— Cojones, qué culebrón. Con una comercial... Por mí no hace falta hablar más. Lo mandamos a la calle y a tomar por saco.

MERCEDES.— No es tan fácil. Él es bueno. Hasta hace poco siempre ha trabajado bien. Es así, ¿no?

ENRIQUE.— Yo creo que sí.

MERCEDES.— Si lo echamos, quizá nos cueste encontrar una persona con su mismo perfil. No debemos precipitarnos.

FERNANDO.— *(Irónico)* Como usted quiera. No nos precipitemos.

CARLOS.— Y la aventura esa con la comercial, ¿qué, se ha terminado o aún continúa?

ENRIQUE.— Se terminó hace meses.

CARLOS.— Muy bien. Mejor. Y la separación de tu mujer, ¿la tienes superada o no la tienes superada?

ENRIQUE.— No lo sé. Pienso mucho en ella todavía.

FERNANDO.— Piensa mucho en ella... Escuchad, a mí me destroza el corazón que el amigo se haya separado, pero, sinceramente, para el caso que nos ocupa, me importa una mierda. Se enredó con una niña de la empresa, la mujer lo supo y lo plantó. Qué le vamos a hacer. Es la vida. Le cogió una depresión y comenzó a hacer el idiota y a pasar del trabajo. Lo lamento. Para mí, la razón por la cual él pasa del trabajo me la paso yo por el forro. Lo que importa es que este pobre se ha quedado colgado y no nos quedaremos aquí perdiendo dinero esperando que baje del árbol. Finiquito y a otra cosa.

MERCEDES.— ¿Y si le damos unas vacaciones?

FERNANDO.— ¿Vacaciones? ¿Ahora que estamos abriendo mercado en... no sé dónde? Este pamplinas la ha cagado hasta el fondo. Le puso los cuernos a su mujer y ella lo pilló. Esto ya indica que muy hábil no es. Nos ha desgraciado una inversión de cojones y encima le quieres dar unas vacaciones. ¿Qué somos nosotros, una empresa o Cáritas Diocesana?

MERCEDES.— Acepto que lo mejor, de momento, es que su trabajo lo haga otro, pero una vez haya salido de la depresión, lo podemos repescar. Es un ejecutivo valioso. Nos ha hecho ganar dinero hasta ahora. Creo que merece una oportunidad.

FERNANDO.— Para mí, ni oportunidades ni puñetas. O funcionas o no funcionas. La vida es así.

MERCEDES.— Todos pasamos malos momentos; si nos tuvieran que echar cada vez que tenemos una crisis personal, sólo trabajarían las máquinas.

FERNANDO.— Habla por ti. Yo no he pasado ninguna crisis de ésas. Y si tengo un mal día, en el trabajo ni se nota. Cuando llegas al despacho tienes que hacer como los payasos de circo, pintarte la cara que toque, de simpático o de hijo de puta, y tirar millas. Quien no sabe hacer esto, no sirve.

MERCEDES.— ¿Llevas un equipo de trabajo, tú?

FERNANDO.— Sí, claro.

MERCEDES.— Te deben querer mucho.

FERNANDO.— Que quieran a sus mujeres, a sus hijos y a sus amantes. A mí, mientras cumplan los objetivos, si quieren, que me hagan vudú por las noches.

CARLOS.— Escuchémoslo a él. A ver... ¿Esa comercial, cómo era?

ENRIQUE.— ¿Cómo era?

CARLOS.— Sí, qué tenía, por qué te liaste con ella.

ENRIQUE.— Hombre...

FERNANDO.— Qué tenía... Pues un culo y dos tetas, como todas las tías, ¿qué tipo de preguntas son ésas?

CARLOS.— Son mis preguntas.

FERNANDO.— ¿Y por qué no le preguntas qué desodorante utilizaba la tía esa? También debe tener una traslación directa al rendimiento laboral.

CARLOS.— Lo que quiero saber es si aún la tienes en la cabeza... ¿Tú, cómo te ves? ¿Estás bien? ¿Te sientes recuperado?

ENRIQUE.— Un poco.

CARLOS.— En nuestro lugar, ¿qué harías?

ENRIQUE.— No se trata de eso.

CARLOS.— Sí, se trata de eso. Si fuese yo quien hubiera contado esta historia, ¿qué decisión tomarías?

ENRIQUE.— Aquí cada uno tiene su papel. A mí no me toca esto, ahora.

MERCEDES.— Pero al menos, lucha. Tenemos que decidir si te quedas o qué, y tienes una actitud de tanto me da todo que... Parece que tengas ganas de que te echemos. ¿Quieres quedarte en la empresa o no?

ENRIQUE.— Sí.

FERNANDO.— Qué entusiasmo...

CARLOS.— Mercedes tiene razón... No sé... Dinos que lo estás superando, que tu vida personal no volverá a interferir en tu trabajo... Yo qué sé. Defiéndete.

ENRIQUE.— A ver... Yo os he explicado mi situación con toda la sinceridad de la que he sido capaz. No puedo hacer más. Ya me he defendido. A mi manera.

FERNANDO.— Pues para mí tu manera es una mierda de manera. ¿Sabes qué me gustaría? Que esto no fuera un juego, que te pudiera echar de verdad, por infeliz. Te aseguro que me quedaría bien a gusto... Un momento. Esperad... Ya lo tengo. Es mentira. Todo lo que nos ha contado es mentira. Él es el infiltrado.

Seguro. ¿Cómo puede ser que no haya caído antes? Cuando hemos llegado, me ha dicho que él no había trabajado nunca en una multinacional, y ahora nos cuenta la historia esta de que la empresa donde trabaja estaba abriendo un nuevo mercado en el extranjero. Total, o miente ahora o mentía antes, o las dos veces, pero ha mentido.

ENRIQUE.— No he mentido. Nunca he trabajado en una multinacional. Es la primera vez que mi empresa abre un mercado en el extranjero.

FERNANDO.— Sí, hombre. Ahora arréglalo. Yo tenía razón desde el principio. Él es de la empresa.

ENRIQUE.— Te aseguro que no.

FERNANDO.— ¿No lo veis? Pero, vaya, no tengo problema alguno en continuar el juego. Tenemos que decidir si después de esta historia tan ejemplar que nos ha soltado, lo despediríamos. Pues yo sí. Lo despediría. Y sin ningún remordimiento. Una cosa es el trabajo y la otra los problemas que puedas tener en casa. Si los mezclas, la has cagado. Y ya está.

ENRIQUE.— Antes me habéis preguntado qué haría yo en un caso como el mío. La verdad es que no lo sé, pero una vez tuve que tomar una decisión similar. La situación no era exactamente la misma, pero era un buen comercial que pasaba por una depresión. Lo despedí. Le dije que cuando la hubiera superado viniera a verme, pero no volvió. Lo llamé al cabo de un tiempo, pero se había mudado. Nunca he sabido nada más de él.

FERNANDO.— ¿Para qué querías que volviese contigo, para volver a deprimirse?

CARLOS.— Escucha, si piensas que él es quien nos tiene que escoger, te estás pasando un poco, ¿no?

FERNANDO.— No, hombre, no, a esta gente le va la marcha.

ENRIQUE.— Te estás equivocando mucho.

MERCEDES.— Una pregunta. ¿Todos estos problemas que tenemos en este nuevo mercado, te sientes capacitado para poderlos solventar?

ENRIQUE.— Creo que sí. Sé dónde está el problema. Tenemos que cortar las relaciones con nuestros socios, aunque nos cueste dinero, y llevar nosotros, directamente, todo el proyecto. Al principio todos pensamos que trabajar con gente de allí, que conociera el mercado, era el sistema ideal, pero fue un error. Nuestro producto es bueno. Los batidos de... Lo que quiero decir es que casi no tenemos competencia. Sólo tenemos que enviar a un grupo de gente que trabaje sobre el terreno, y yo estoy dispuesto a trasladarme allí y coordinarlo el tiempo que haga falta.

CARLOS.— ¿Y tus hijos?

ENRIQUE.— Los echaré de menos. Pero también pienso que, personalmente, me irá bien alejarme un tiempo de aquí.

MERCEDES.— Mira, a mí me ha convencido. Que se quede y continúe el trabajo.

FERNANDO.— ¿Que se quede?

MERCEDES.— Él es quien mejor conoce el proyecto. Además, hay otra cosa: de cara al resto de los ejecutivos, daríamos una pésima imagen si echásemos a alguien por motivos personales. Creo que es mejor apoyarlo.

CARLOS.— Venga, yo también, que se quede.

FERNANDO.— ¿Y a esto le llamáis tomar decisiones de manera profesional? No jodamos.

CARLOS.— Y siempre podemos enviar a alguien de confianza para que colabore con él.

FERNANDO.— Demasiado riesgo. Demasiadas complicaciones para un tío que la ha cagado.

MERCEDES.— Es buena idea. Enviemos a alguien con él, que se familiarice con el proyecto, y si vemos que la cosa no funciona, siempre tendremos tiempo para reaccionar, sacarlo de allí y ya tendremos a alguien preparado.

CARLOS.— A él le damos una salida y nos cubrimos las espaldas.

FERNANDO.— Es un gasto inútil... Yo... Yo lo echaría, pero sois dos contra uno. Ganáis. La democracia es esto, ¿no?

MERCEDES.— Decidido. No te despedimos.

ENRIQUE.— ¿Lo tenéis claro?

CARLOS.— Sí.

Enrique cierra los puños en señal de victoria.

ENRIQUE.— Ha sido más sencillo de lo que pensaba. Tenía que conseguir que no me despidierais. La prueba era ésta. Era para mí.

FERNANDO.— Será cabrón.

CARLOS.— La historia esta, esto de tu mujer y la separación, ¿es verdad o no?

ENRIQUE.— Sí.

CARLOS.— ¿Es lo que te ha pasado en la empresa esa de alimentación donde trabajas?

ENRIQUE.— Sí.

MERCEDES.— Y ellos que han hecho, ¿te han echado?

ENRIQUE.— Me han dado vacaciones. Y yo las estoy aprovechando.

FERNANDO.— Y lo de la mujer del *chat*, ¿también te ha pasado?

ENRIQUE.— Sí y no. He cargado un poco las tintas. Era una mujer que sólo quería dinero, pero no me atracó ni nada. Sólo lo he dicho para... Me ha parecido que serviría para ablandaros un poco. Os lo digo en serio, estoy alucinando con el sistema de selección que estamos siguiendo. Lo encuentro genial. Felicidades a quienes se tengan que dar.

FERNANDO.— Además de cabrón, pelota.

ENRIQUE.— ¿Qué dices?

FERNANDO.— Nada, nada.

CARLOS.— Ahora se volverá a abrir la puertecita, supongo.

ENRIQUE.— O no. En una empresa americana hicieron una prueba muy curiosa. Reunieron a los aspirantes en una sala, como ahora nosotros, esperando para pasar una entrevista, y, de golpe, comenzaron a sonar las alarmas de incendio. Ellos lo filmaban todo y analizaban las reacciones de la gente.

FERNANDO.— ¿Y qué esperaban que hiciera la gente? Pues echar a correr, como todo el mundo.

ENRIQUE.— A veces sólo los dejan en una sala un buen rato y observan cómo interactúa el grupo. Ellos dicen que las personas que tienen cualidades de liderazgo, las demuestran en cualquier situación, incluso en una situación donde no sucede nada especial. Son los que inician conversaciones, los que se presentan a la gente... Estas cosas.

FERNANDO.— Por eso te hacías tanto el simpático cuando has llegado. ¿Estabas demostrando tus capacidades de liderazgo? Lo has hecho muy bien. Deben haber quedado impresionados por tus comentarios sobre el tráfico. Yo, con todo el respeto, creo que estos sistemas son... Pero bien, ya que estamos aquí...

ENRIQUE.— Eh, que te están escuchando.

FERNANDO.— Mejor. A ver, haré lo que me pidan, pero esto no quiere decir que me guste. Si son realmente buenos, valorarán mi sinceridad. Funcionan así. Os lo digo yo, los psicólogos estos son... Les va la marcha, y los que trabajan para empresas, aún más. Encerrados en su despacho, sin nada más que hacer que meterse en las vidas de los empleados. Escudriñando, siempre escudriñando... Y si uno tiene la desgracia de tener un mal día... porque el niño le ha suspendido las matemáticas, o porque le han robado el coche, o porque le ha dejado la mujer o por lo que sea, comienzan a meterse contigo, intentando ayudarte, intentando que no caigas en una depresión que podría afectar a tu rendimiento laboral, y continúan hincando el diente hasta que consiguen que saques todo lo que llevabas dentro; y cuando lo sacas, los muy hijos de puta te lo ponen delante de las narices y ves que sólo eres una mierda, y entonces sí que te coge la depresión de verdad y ellos contentos porque ya intuían que tú estabas a punto de caer en una depresión. Es esto lo que hacen, ¿no?

ENRIQUE.— ¿Y yo qué sé? ¿Qué te ha cogido conmigo?

FERNANDO.— A mí, nada. Pero como pareces tan bien informado...

ENRIQUE.— Tú debes haber tenido alguna mala experiencia con psicólogos.

FERNANDO.— ¿Alguien ha tenido alguna buena?

CARLOS.— Estás nervioso porque has perdido en las dos pruebas.

FERNANDO.— No sé quién ha perdido. Al final cogerán a éste y vosotros dos os quedaréis con cara de idiotas.

ENRIQUE.— ¿A mí? ¿No dices que soy de la empresa, yo?

FERNANDO.— Mira, yo ya no digo nada más.

La puertecita se vuelve a abrir.

MERCEDES.— ¡Eh!

Enrique se acerca a mirar.

ENRIQUE.— *(Sin dar crédito)* No os lo vais a creer.

Saca cuatro sombreros. Una montera de torero, uno de payaso, otro de copa y una mitra de obispo.

Enrique saca un sobre del buzón. Lo lee.

"Pónganse un sombrero cada uno, luego abran el sobre".

FERNANDO.— ¿Tenemos que ponernos estos sombreros?

ENRIQUE.— A mí no me mires.

FERNANDO.— Por favor...

CARLOS.— ¿Pero, para qué?

ENRIQUE.— Esto es lo que debe explicar el sobre, pero primero nos los tenemos que poner.

MERCEDES.— ¿Cualquiera?

ENRIQUE.— Eso parece.

FERNANDO.— Surrealista. Lo encuentro surrealista.

ENRIQUE.— Bien... No nos lo pensemos más.

> *Enrique coge el sombrero de copa y se lo pone.*
> *Mercedes coge el de payaso.*
> *Carlos, el de torero.*
> *A Fernando le queda el de obispo. Sin mucho entusiasmo, lo coge*
> *y se lo pone.*
> *Se miran, cada uno con su sombrero puesto.*

FERNANDO.— Os pido un favor. Si algún día nos encontramos fuera de aquí, hagamos como si esto no hubiera ocurrido nunca.

ENRIQUE.— Leo.

> *Enrique abre el sobre y lee.*

¡Ah, muy bueno! Yo ya he jugado a esto.

FERNANDO.— Va, por favor.

ENRIQUE.— "Ustedes son los únicos ocupantes de un avión en llamas a punto de estrellarse. Un payaso, un torero, un obispo y un político. Sólo tienen un paracaídas. Tienen que defender delante de sus compañeros por qué su personaje es el que merece utilizar el paracaídas y salvarse". Es muy bueno. Yo jugué a esto en una convención.

CARLOS.— Parece uno de esos chistes de un francés, un alemán y un español...

ENRIQUE.— En la convención esta había una chica que hacía dinámicas de grupo y jugamos a una cosa parecida. Nosotros estábamos en un globo, y los personajes no eran exactamente los mismos. Lo que teníamos que hacer era decidir a ver quién saltaba, porque el globo estaba perdiendo altura y no nos quedaba lastre para soltar, y uno de los personajes tenía que saltar, y discutíamos a ver quién era el menos importante. Fue muy divertido. Yo era bombero...

FERNANDO.— Perdona que te corte. Hay una cosa en la mecánica que no entiendo. Si nosotros somos los únicos ocupantes del avión, lo que me gustaría saber es quién estaba pilotando. Supongo que era el payaso, y por eso estamos a punto de pegárnosla.

MERCEDES.— *(No le ha hecho gracia)* ¡Ja, ja!

ENRIQUE.— Lo que tenemos que hacer es discutir quién merece vivir. Quién es más importante para el mundo.

CARLOS.— Pues yo, de torero, lo tengo fatal.

FERNANDO.— No quiero cortaros el rollo, pero reflexionemos un instante. Estamos optando a un cargo ejecutivo en una de las mayores empresas del mundo. Miraos, por favor.

ENRIQUE.— ¿Qué pasa?

FERNANDO.— No, nada. No pasa nada. Debe de ser problema mío. Sigamos.

CARLOS.— ¿Qué hacemos, hablamos cada uno y luego discutimos?

ENRIQUE.— Sí, ¿no?

MERCEDES.— ¿Me dejáis hacer una propuesta antes? Entre nosotros hay un obispo. Un hombre de Dios. Un hombre que cree en la otra vida y que, además, valora la caridad y sólo piensa en hacer el bien... Yo propongo que él, voluntariamente, se sacrifique por los demás y renuncie a utilizar el paracaídas. Me parece que sería una actitud muy cristiana.

FERNANDO.— Tú, ¿de qué vas? Yo no me sacrifico ni por Dios.

MERCEDES.— Era una broma.

FERNANDO.— Una broma... Ah, claro, eres un payaso...

ENRIQUE.— ¿Quién empieza?

CARLOS.— Decidámoslo a suertes.

MERCEDES.— Si queréis empiezo yo.

ENRIQUE.— Venga.

MERCEDES.— No quiero menospreciar ninguno de vuestros oficios. El político trabaja para el bien del pueblo, el obispo se encarga de la espiritualidad de la gente, el torero... Bien, el torero...

CARLOS.— Soy un artista.

MERCEDES.— Bueno... Da igual. Lo que está claro es que yo, el payaso, tengo una de las funciones más nobles y útiles en la sociedad. Me dedico a hacer reír.

FERNANDO.— Si es por eso, el político también...

MERCEDES.— Pensad que cuando arranco una sonrisa de un niño le estoy proporcionando un momento de felicidad que sólo yo puedo darle. ¿Hay algo más importante que la sonrisa de un niño?

FERNANDO.— Enternecedor.

ENRIQUE.— No te digo yo que no. No te digo yo que esto no sea importante, pero antes de la sonrisa nos tenemos que preocupar del bienestar de este niño, que pueda tener buenas escuelas donde educarse, buenos hospitales por si cae enfermo. Tenemos que preocuparnos de que pueda tener un futuro. Los niños deben ser capaces de sonreír, es cierto, pero para poderlo hacer tienen que vivir en una sociedad que los proteja, que vele por su seguridad y por la de sus padres...

FERNANDO.— No te enrolles, que el avión está cayendo.

ENRIQUE.— Ya sé que el prestigio de los políticos es muy bajo hoy en día, pero sin nosotros, sin mí, el payaso no podría hacer reír a los niños, el torero no podría torear y el obispo... El obispo tampoco tendría clientes, porque la gente sólo se preocupa de la salvación de sus almas cuando tiene la barriga llena. Por todo esto, creo que soy yo, el político, quien tengo que salvarme.

CARLOS.— ¿Ahora yo? Bueno..., yo soy... torero. Vosotros podéis pensar que un torero más o un torero menos en este mundo, da igual. Pero no. De ninguna manera. Estáis muy equivocados. Un torero es... Un torero tiene... Yo me juego la vida cada tarde. Vosotros no os habéis puesto nunca delante de un toro. No sabéis lo que es eso. Yo sí. Los toreros tenemos... Cuando un torero está en la plaza, su madre está rezando, su mujer está rezando, sus hijos están rezando... ¿Por qué rezan? Por un torero. Recordad aquellos versos de García Lorca... Aquellos versos que decían... (Cambiando) Perdonad, pero es que lo mío es indefendible. No se me ocurre nada. Y como soy lo que soy, lo único que puedo hacer es tener una actitud lo más torera posible. O sea, que coged vosotros el paracaídas, que yo no le tengo miedo a la muerte.

FERNANDO.— ¡Olé!

ENRIQUE.— Venga, te toca a ti.

FERNANDO.— Sí, me toca a mí.

Fernando da un paseo, preparando su discurso.

Hermanos... Nos hemos reunido aquí... Lo que quiero deciros es que nunca hubiera pensado, cuando venía hacia aquí, ilusionado, tengo que decirlo así, por la posibilidad de conseguir un cargo de alto nivel en una empresa tan importante como Dekia, nunca habría pensado, digo, que acabaría de obispo dentro de un avión en llamas. Pues bien, la providencia tiene estas cosas y los designios del Señor son...

Suena un teléfono móvil. Es el de Mercedes.

MERCEDES.— Perdonad, es que estaba esperando...

FERNANDO.— Tranquila, tranquila...

Mercedes lo conecta y va a un rincón de la sala.

MERCEDES.— *(Al teléfono)* ¿Laura? Dime... ¿Qué...? Hostia...

FERNANDO.— Espero que acabe la señora, ¿no?

MERCEDES.— *(Al teléfono)* ¿Cuándo? ¿Y cómo se encuentra? ¿Qué dice el médico...? Sí, claro que vendré, pero estoy en medio de una reunión.

Mercedes levanta la voz. Los otros no pueden evitar escucharla.

¿No dices que no es grave? O es grave o no es grave, Laura, hostia... Para mí "grave" significa "grave"... Ya la hemos ingresado cincuenta veces. No vendrá ahora de que... A mí no me digas eso. No tienes ningún derecho. Haré lo que tenga que hacer. Siempre lo he hecho... Ni tú ni nadie me tiene que dar lecciones de cómo... Pues ya está... Que sí, que iré... Cuando pueda. Hala, adiós.

Mercedes desconecta el teléfono y lo guarda.

CARLOS.— ¿Algún problema?

MERCEDES.— No, ninguno. ¿Os dijeron cuánto iba a durar esto?

ENRIQUE.— No.

MERCEDES.— Continuemos.

ENRIQUE.— Venga, acaba

FERNANDO.— Acabo. Escuchadme bien. Tal y como están las cosas en este avión, es necesario tomar decisiones drásticas. Yo, ahora, con mucha tranquilidad, con mucha calma, cogeré el paracaídas, me lo pondré y saltaré del avión, y si alguno de vosotros intenta impedírmelo, lo único que conseguirá es salir del avión antes que yo. Sin paracaídas, naturalmente.

ENRIQUE.— ¡Eh!, tienes que hacerlo en serio.

FERNANDO.— Lo estoy haciendo muy en serio. No intentéis oponeros a la voluntad de la Iglesia. Tenemos más fuerza de la que parece. Si no me obligáis a utilizar la violencia y os quedáis en el avión aún tenéis alguna posibilidad. Podéis intentar apagar el fuego y que la payasa esta vuelva a coger los mandos. De todos modos, podéis estar tranquilos, como profesional del tema os aseguro la vida eterna. Y bien, eso es todo, me parece que no hace falta decir más. Yo me voy. Adiós.

CARLOS.— Pero, qué dices...

ENRIQUE.— Esto es destrozar el juego. No puedes hacerlo.

FERNANDO.— *(Alejando la voz)* Lo siento. Ya no estoy. He saltaaaado.

ENRIQUE.— Has hecho trampa.

Fernando se encoge de hombros.

Mercedes va al lado de la puertecita.

Si no estás dispuesto a seguir las normas, no... Vaya, que así...

CARLOS.— ¿Y ahora, qué?

ENRIQUE.— No lo sé.

Enrique se acerca a Mercedes.

(A Mercedes) ¿De veras no te pasa nada? No he podido evitar oír...

MERCEDES.— Mi madre, que está delicada. Nada grave.

ENRIQUE.— Si es un caso de fuerza mayor, supongo que esta gente lo entenderá.

MERCEDES.— Que no es nada. Ya la hemos ingresado varias veces. Luego llamaré.

Se abre la puertecita.

CARLOS.— ¡Eh!

Carlos saca un sobre del buzón.

No hay nada escrito fuera. Lo leo.

Carlos abre el sobre y lee.

(Molesto) Qué cojones... Esto es... No tienen ningún derecho a...

MERCEDES.— ¿Qué pasa?

CARLOS.— Una cosa es jugar a estas idioteces y otra meterse en...

FERNANDO.— ¿Qué dice? ¿Tenemos que hacer un número musical?

CARLOS.— Nada. No pienso leerlo.

FERNANDO.— ¿Cómo que no?

CARLOS.— Lo que pone aquí no os interesa. Ni a vosotros ni a ellos, que no sé cómo cojones se han enterado. ¡Hostia!

ENRIQUE.— Pero si no lo lees, ¿qué hacemos?

CARLOS.— Aquí habla de mí y de cosas concretas de mi vida que no os importan. Y que, además, no tienen ninguna relación con el trabajo.

FERNANDO.— No puedes hacerlo.

CARLOS.— Los que no pueden hacerlo son ellos.

FERNANDO.— Es su juego. Si no quieres continuar, te vas. Nos lo han dicho muy claro.

CARLOS.— Es que una cosa es que te hagan pruebas de éstas que hemos hecho, y otra que te saquen asuntos personales, que son privados y que a nadie le importan.

ENRIQUE.— A mí también me han sacado cuestiones personales y lo he aceptado, si tú no lo aceptas tienes que largarte.

CARLOS.— Pero es que esto es muy diferente, hostia.

FERNANDO.— Tú mismo. O lees y te quedas o no lees y te vas.

Carlos piensa un instante.

Supongo que ya nos podemos quitar los sombreritos.

Todos se quitan los sombreros excepto Carlos, que sigue pensando.

MERCEDES.— ¡Eh, Carlos...!

CARLOS.— ¿Qué?

MERCEDES.— El sombrero.

Carlos se quita el sombrero.

Va, venga, que no tenemos todo el día.

CARLOS.— Pensándolo bien, no es nada de lo que tenga que esconderme, ni avergonzarme ni nada. De hecho, llegará un momento que será evidente. Leo. "Carlos Bueno ha iniciado un tratamiento hormonal que debe culminar en una operación de cambio de sexo. Decidan si es el tipo de candidato adecuado para entrar en nuestra empresa. Si ustedes llegan a la conclusión de que su perfil no es el que se ajusta al cargo, Carlos Bueno tendrá que abandonar el proceso de selección". Ya está.

Carlos va hasta el buzón, mete el papel y cierra otra vez el buzón.

MERCEDES.— Carlos...

CARLOS.— ¿Qué?

MERCEDES.— No, nada, que lo que acabas de leer es un poco...

CARLOS.— Sorprendente.

MERCEDES.— Pero no es...

CARLOS.— Pues mira, sí, lo es.

MERCEDES.— ¿Te quieres cambiar el sexo?

CARLOS.— Sí.

A Mercedes se le escapa la risa.

MERCEDES.— Perdona, pero es que...

FERNANDO.— Por favor. Esto es... No tengo palabras. Y os aseguro que esto me pasa pocas veces, pero esta vez tengo que admitirlo. No tengo palabras.

CARLOS.— Lo que no entiendo es cómo esta gente se ha enterado. No me lo explico.

MERCEDES.— Es coña, ¿no?

CARLOS.— No.

ENRIQUE.— ¿No?

CARLOS.— No. Hace unos meses, tomé la decisión de llevarlo adelante. Sólo hace unas semanas que he empezado el tratamiento hormonal.

MERCEDES.— Pero, Carlos...

FERNANDO.— A ver si lo entiendo... O sea que dentro de cuatro días te empezarán a apuntar las tetas, se te pondrá la voz de canario y te acabarán cortando el pito.

CARLOS.— No exactamente así, pero bien, sí. Me operaré y seré una mujer. Bueno, en realidad, ya lo soy.

FERNANDO.— Pues lo disimulas de coña. *(A Mercedes)* ¿No querías un cincuenta por ciento de cuota femenina? Pues ya lo tienes.

CARLOS.— Pocas bromas, eh.

MERCEDES.— Carlos...

FERNANDO.— Qué fuerte... La gente es la polla. Bueno, en tu caso no exactamente la polla. Es que tiene... No me extraña que estés buscando trabajo, porque en Rawental, que son del Opus hasta los huesos, te echarán antes de que te puedas comprar las primeras braguitas.

CARLOS.— Por eso estoy buscando trabajo.

ENRIQUE.— ¿Y no habías dicho nada aquí?

CARLOS.— ¿Para qué?

FERNANDO.— No, para nada. No tiene importancia. No afecta en nada al trabajo. Dekia contrata como director de marketing a un tío que se llama Carlos y al cabo de unos meses Carlos se ha convertido en Carlota. Normal. Yo tampoco les he dicho que soy Hare Krishna y, cuando menos se lo esperen, empezaré a recibir a los clientes con túnica naranja y cantando el "Hare-Hareeee..."

CARLOS.— ¿Y qué?

FERNANDO.— No, nada. No hay problema. Normal.

ENRIQUE.— Hombre... Es que es un poco... Vaya. Un poco... No sé. Que es... Coño. Es raro que te cagas.

CARLOS.— Tampoco pensaba esconderlo. Si me escogían, tenía intención de contarlo. Pero no antes, no quería que esto afectara al proceso de selección.

FERNANDO.— Ya, y cuando te hubieran contratado, tú les soltabas tu sorpresita y si te echaban los llevabas a magistratura.

CARLOS.— Qué dices...

FERNANDO.— Y tal y como están las cosas hoy en día, con tanta corrección política y tanta mandanga, aún hubieras sacado un montón de pasta.

CARLOS.— Tú has visto muchas películas.

MERCEDES.— Carlos.

CARLOS.— ¿Qué?

MERCEDES.— Es que no me lo puedo creer. Tú, en la facultad, te habías enrollado con un montón de chicas.

CARLOS.— Porque no me había aceptado tal y como soy.

FERNANDO.— Toma frase. Chicos, qué vidas de culebrón que tenéis todos. Éste con la atracadora del *chat* y tú, chutándote hormonas.

MERCEDES.— Carlos, por favor. No... No puede ser. Carlos, tú y yo en la facultad...

CARLOS.— Sí, y qué.

MERCEDES.— Hombre, que a mí no me pareció que tuvieras problemas de identidad sexual precisamente. Vaya, que... Ya sabes que quiero decir. Fue muy... normal. Vaya, mejor que normal. Fue...

CARLOS.— Era una manera de intentar negar la evidencia.

FERNANDO.— Perdonad. Perdonad, pero con esto no puedo. No quiero ser desagradable, pero tú... ¿Cómo tengo que llamarte, Carlos o...?

CARLOS.— Puedes llamarme Carlos.

FERNANDO.— Pues Carlos. No puedes pensar seriamente optar a un cargo como éste y, a la vez, preparar oposiciones para travesti. Es que es marciana la cosa.

CARLOS.— Un travestido es otra cosa.

FERNANDO.— Lo que sea, puñeta. Ahora parece que sea yo el que trabaja aquí, pero es que me pongo en su lugar y se me revuelven los esquemas.

ENRIQUE.— De hecho, lo que nos han pedido es que nos pongamos en su lugar.

FERNANDO.— Pues ya estoy en su lugar. Y doy gracias por tener un servicio de personal lo bastante eficiente como para haber descubierto todo esto antes de que pudiera hacer daño a la empresa.

CARLOS.— ¿De qué manera puede hacer daño a alguien, esto?

FERNANDO.— Hombre, tú mismo.

CARLOS.— En la oferta, en ningún momento se hablaba de limitaciones por razón de sexo.

FERNANDO.— ¿Y qué querías que pusieran en el anuncio? "Se busca director de marketing. Travestis, abstenerse".

CARLOS.— No me vuelvas a llamar travesti.

FERNANDO.— ¿Y cómo tengo que llamarte?

CARLOS.— En todo caso, transexual, pero lo mejor es no poner etiquetas a las personas.

FERNANDO.— A ver, por mí, como si te quieres transformar en pavo real, pero lo que no puedes hacer es optar a un trabajo escondiendo una cosa como ésta. Si eres travestido o transexual o trasatlántico es cosa tuya, pero aquí estás optando a un cargo ejecutivo de alto nivel. Si no tienes claro si eres macho o hembra, significa que en tu cerebro hay un lío de cojones, y ahora que encima has empezado a chutarte hormonas en vena, tus pobres neuronas pueden acabar bailando una jota. Perdona, pero si quieres un consejo, ponte agua, porque estás como una regadera.

CARLOS.— Te crees muy gracioso. Te lo diré una vez y no dos. Como me vuelvas a faltar al respeto, te meto una manta de hostias que te pongo los huevos por corbata y me importa una mierda la imagen que dé.

FERNANDO.— Huy, qué femenina.

CARLOS.— Mecagüen la hostia.

Carlos se acerca a Fernando y le da un empujón.

MERCEDES.— ¿Qué hacéis?

Mercedes se interpone entre los dos.

CARLOS.— Como te vuelvas a pasar conmigo te hago una cara nueva.

ENRIQUE.— Tranquilos.

FERNANDO.— Tú tienes un problema.

CARLOS.— Y tú tendrás más de uno si no paras.

MERCEDES.— Haced el favor.

CARLOS.— Hay cosas por las que no paso.

MERCEDES.— Cálmate.

CARLOS.— Ya está. No pasa nada.

Enrique se acerca a Carlos, más calmado.

ENRIQUE.— ¿Un mentolín?

FERNANDO.— ¿Qué esperabas? ¿Que te la devolvería? Yo no pego a las mujeres.

MERCEDES.— Va, basta.

FERNANDO.— De acuerdo. Estudiemos el asunto. En el caso de éste habéis decidido no despedirlo. Se puede llegar a entender, sobre todo por parte de Carlota. Pero ahora la cosa no tiene discusión posible.

CARLOS.— ¿Ah, no?

FERNANDO.— No, y además ya no es necesario ni tener en cuenta tus futuras sesiones de cirugía. Una persona que, a la primera de cambio, reacciona utilizando la violencia de esta manera no tiene ningún futuro como ejecutivo.

CARLOS.— Quien no tiene ningún futuro es quien menosprecia a los demás y no los juzga en función de sus capacidades profesionales objetivas sino a través de sus propios prejuicios.

FERNANDO.— De verdad, Carlota, dices unas frases que... ¿Esto dónde os lo enseñan, en la asociación gay-lesbiana?

MERCEDES.— ¿Quieres dejarlo, por favor?

FERNANDO.— Callo.

ENRIQUE.— Bueno, este caso es más complicado que el mío.

FERNANDO.— Y eso que, a ti, con lo que te pasó con la del *chat*, sí que había para cambiar de sexo. Callo.

ENRIQUE.— El problema que nos han planteado sólo hace referencia al cambio de sexo. No tiene nada que ver con sus aptitudes profesionales.

MERCEDES.— A mí, qué quieres que te diga, se me hace difícil hablar de esto.

ENRIQUE.— Pero tenemos que hacerlo.

MERCEDES.— Carlos es amigo mío. Lo aprecio, pero...

FERNANDO.— Pero...

MERCEDES.— Es que me cuesta tanto creer que...

ENRIQUE.— Da igual. Trabajemos en ello. Lo que tenemos que hacer es tener en cuenta todos los factores. Supongo que la operación esta, cuando te la hagan, tendrás que estar mucho tiempo de baja.

CARLOS.— No tanto...

FERNANDO.— El problema no es que esté de baja. El problema es que cuando vuelva de la baja y su secretaria lo vea vestido de fallera mayor, le puede dar un colapso y quedarse allí mismo de cuerpo presente. Entonces sí que habrá un problema.

MERCEDES.— ¿No puedes hablar seriamente de nada?

FERNANDO.— ¿Cómo quieres que hable seriamente de una cosa como ésta? Si parece el argumento de una novela barata...

ENRIQUE.— Tienes razón. Esto no hay quien se lo trague. Nos está engañando. Ahora lo veo. La prueba que tú tienes que hacer es conseguir que nos creamos que quieres hacerte la operación esta. Sólo nos has leído lo que has querido, y luego has vuelto a dejar el papel, y el buzón se ha cerrado. Lo que ponía era que nos tenías que hacer creer que te querías cambiar el sexo.

CARLOS.— Mira, tú deberías dejar de darle tantas vueltas a las cosas. Aquí no es necesaria ninguna óptica nueva. Soy así. Quería ser discreto algunos meses más, pero esta gente se ha enterado, qué quieres hacerle.

ENRIQUE.— ¿Cómo pueden haberse enterado de algo así si tú no les has dicho nada?

CARLOS.— A mí también me gustaría saberlo. Supongo que han hablado con amigos míos y alguien se lo habrá contado. No hay mucha gente que lo sepa, pero la hay.

ENRIQUE.— Seguro. Vaya con la pruebecita. Es buena. Si conseguías colarnos una historia como ésta es que eras el mejor vendedor del mundo.

CARLOS.— Os digo que es verdad.

MERCEDES.— Tiene que ser esto. Claro. Cuando me toque a mí, vete a saber qué me pedirán... Os tendré que hacer creer que soy monja o... extraterrestre.

CARLOS.— *(Se saca la cartera, busca un papel)* Mirad, aquí tengo las recetas de las medicinas y el teléfono de mi médico, podéis llamarlo si queréis.

ENRIQUE.— Puede estar preparado.

CARLOS.— ¿Cómo quieres que esté preparado? Yo no sabía que me saldrían con esto. Si llevo la receta es porque es mía.

ENRIQUE.— Quizá tu prueba ya venía preparada de antes. Quizá han hablado contigo, te han explicado el proceso y te han pedido que preparases una coartada.

CARLOS.— Escucha, que estamos en un despacho de la Castellana, no en una novela de Agatha Christie.

FERNANDO.— Dice la verdad. Aunque parezca imposible, creo que dice la verdad.

MERCEDES.— ¿Cómo lo sabes?

FERNANDO.— En el papel ponía lo que nos ha leído. Lo ha cogido él de casualidad. Su nombre no estaba en el sobre. Lo podíamos haber cogido cualquiera. Si hubieran querido darle instrucciones sólo a él, en el sobre habrían escrito su nombre, como han hecho con Enrique.

ENRIQUE.— Si venía preparado de antes es igual.

FERNANDO.— También tienes razón, pero no lo creo. La cosa es tan pasada de tuerca que tiene que ser verdad.

ENRIQUE.— Pero entonces, si decidimos que no es una persona adecuada, tiene que irse. Han dicho esto, ¿no?

FERNANDO.— Exactamente. Echémoslo y uno menos.

MERCEDES.— Pero... No. Son ellos quienes tienen que tomar esta decisión, no nosotros.

FERNANDO.— Está bien pensado. Así no podrán decir que Dekia ha rechazado a nadie por motivos... discriminatorios o lo que sea. Lo habremos hecho nosotros. Ahora que, por mí, ningún problema.

MERCEDES.— Yo, es que estoy convencida de que no es verdad, y si lo echamos, lo echamos por algo que es mentira, o sea que no entiendo...

CARLOS.— ¿Por qué no os lo queréis creer? El cambio de sexo ya no es algo tan extraño como era antes. Está científicamente comprobado que hay hombres y mujeres atrapados en un cuerpo que no les corresponde.

FERNANDO.— Chaval, hablas tan de manual que ya no sé qué pensar.

CARLOS.— Déjame en paz... Las personas que sufrimos este problema, ahora tenemos la posibilidad de solucionarlo. Y no es un camino fácil, os lo aseguro. Yo he tardado años en decidirme. Me han hecho pruebas de todo tipo. Hace seis años que me visita un psiquiatra y es él quien me ha recomendado la operación. Si queréis que os diga la verdad, este trabajo empieza a no ser tan importante para mí. Ya encontraré otro. Prefiero que me creáis y que aceptéis la posibilidad de que una persona quiera reconducir su vida y que lo admitáis como un hecho normal. Tú, Enrique, tienes hijos, ¿verdad? Imagina que esto le pasara a uno de ellos. ¿Verdad que querrías que pudiera vivir con normalidad? Siempre habrá personas como él, que se reirán y que intentarán hacerte sentir ridículo, es inevitable; pero tú, Mercedes, no eres así, me gustaría que continuaras siendo mi amiga. Para mí, ahora, esto es lo más importante. Yo continuaré siendo la misma persona, sólo que un poco más feliz, espero.

MERCEDES.— Carlos, no me hagas esto.

CARLOS.— ¿El qué?

MERCEDES.— Me estás haciendo sentir como una... No sé...

CARLOS.— No pienses en la imagen que tienes que dar. Nos conocemos. Necesito que mis amigos me comprendan.

MERCEDES.— Es que no sé qué decirte.

CARLOS.— Dime que siempre seremos amigas.

MERCEDES.— Bueno, tú y yo tampoco somos tan amigos..., amigas..., ami... Sólo nos vemos de vez en cuando.

CARLOS.— Ayúdame.

MERCEDES.— ¿Qué quieres que haga yo?

CARLOS.— No me rechaces. Tú, no, por favor.

MERCEDES.— Carlos...

CARLOS.— Ellos dos me echarán, seguro. Pero al menos tú...

Mercedes y Carlos se miran un instante.

FERNANDO.— ¿Puedo hacerte una pregunta? Cuando hayas terminado de tocarle la fibra a ella, irás a por él, ¿no?

CARLOS.— No.

FERNANDO.— Eres hábil. Debo reconocer que eres hábil.

CARLOS.— Prefiero no volver a hablar contigo. *(A Mercedes)* ¿Qué dices?

MERCEDES.— Estoy pensando.

FERNANDO.— Pues yo sí que quiero hablar contigo. Lo que estás haciendo es puro chantaje emocional. Como la conoces, y por lo que parece te la tiraste, ahora quieres ponerla tierna.

MERCEDES.— Escucha, guapo, a mí nadie me hace ningún tipo de chantaje. Haré lo que quiera, y si tuvimos una relación, a ti no te importa una mierda.

FERNANDO.— Usted perdone.

MERCEDES.— Carlos, si quieres que te sea sincera, continúo sin poder creer esto del cambio de sexo, pero si fuera verdad y yo tuviera la responsabilidad de contratarte, no lo haría.

CARLOS.— Muy bien. Esperaba que tú... Pero es normal. Lo entiendo.

MERCEDES.— Lo siento.

> *Suena el móvil de Mercedes.*

Perdona. *(Mercedes ve quien es y conecta el móvil)* ¿Qué pasa?

CARLOS.— A vosotros no hace falta que os pregunte.

ENRIQUE.— No tenemos alternativa. Nadie contrataría a alguien... como tú. Es demasiado arriesgado.

MERCEDES.— *(Al móvil)* Pero, ¿cómo ha...?

FERNANDO.— Pues yo sí que te cogería, aunque sólo fuera para ver si quedas guapa. Quizá eres la mujer de mi vida.

CARLOS.— Eres un capullo.

MERCEDES.— *(Al móvil)* Dios mío... Sí, sí, ahora voy. Adiós. *(Cuelga)*

FERNANDO.— Parece que tu ex se tendrá que ir.

MERCEDES.— Mi madre ha muerto.

CARLOS.— ¿Qué dices?

MERCEDES.— Que mi madre ha muerto.

ENRIQUE.— Hostia...

CARLOS.— ¿Qué ha pasado?

MERCEDES.— La tenían en la UVI... Un ataque al corazón.

ENRIQUE.— Lo siento.

CARLOS.— Pero si hace un rato te han llamado...

MERCEDES.— Se ve que mientras estábamos hablando ya había entrado en crisis y mi hermana aún no lo sabía.

CARLOS.— Mercedes...

MERCEDES.— Bueno, tengo que irme.

CARLOS.— ¿Quieres que te acompañe? Yo también me voy.

MERCEDES.— No hace falta. Tengo el coche aquí... Mierda. Tendría que haber ido cuando me ha llamado.

CARLOS.— Tampoco hace tanto... No habrías llegado a tiempo.

MERCEDES.— Pero no he ido. Me he quedado aquí. Mierda.

CARLOS.— Quizá es mejor que no conduzcas. A mí no me importa.

MERCEDES.— Gracias.

Mercedes y Carlos recogen sus cosas.

FERNANDO.— Lo siento.

MERCEDES.— ¿Tú?

FERNANDO.— Sí, yo.

MERCEDES.— Tú, lo único que piensas es... "Mira, dos menos".

FERNANDO.— Soy un poco cabrón, pero no tanto.

ENRIQUE.— Estoy seguro que entenderán que tienes que marcharte.

FERNANDO.— Al principio han dicho que quien se marchase, fuese por lo que fuese, quedaba excluido.

CARLOS.— Como puedes ser tan...

FERNANDO.— Es lo que nos han dicho.

ENRIQUE.— En todo caso, no eres tú quien tiene que decidirlo.

FERNANDO.— No, pero lo han dicho.

MERCEDES.— Espero que te cojan. Yo lo haría. De hijos de puta como tú no se encuentran cada día.

FERNANDO.— Eh, que yo no he matado a tu madre.

Mercedes se lo queda mirando, enfadada.

¿Qué pasa? Es verdad. No es culpa mía.

Mercedes mira a Fernando un largo rato.
Carlos se acerca a ella.

CARLOS.— Mercedes...

Mercedes continúa inmóvil, mirando a Fernando.

Vamos.

MERCEDES.— Me quedo.

CARLOS.— ¿Qué?

MERCEDES.— Que me quedo.

CARLOS.— Mercedes...

MERCEDES.— Está muerta. No pasará de media hora.

CARLOS.— ¿Cómo puedes decir una cosa así?

MERCEDES.— Debo quedarme.

CARLOS.— Pero...

MERCEDES.— Tengo mis motivos. Es cosa mía.

CARLOS.— No, ya sé que es cosa tuya, pero...

MERCEDES.— Esto debe de estar a punto de terminar.

CARLOS.— O no.

MERCEDES.— Si veo que se alarga ya me iré.

CARLOS.— No entiendo nada.

MERCEDES.— Es mi problema, ¿de acuerdo?

FERNANDO.— Se nota que entre tu madre y tú había cariño.

MERCEDES.— Di lo que quieras. A mí no me pondrás nerviosa.

CARLOS.— Esto es increíble.

FERNANDO.— Lo que está claro es que tú sí que tienes que irte.

CARLOS.— Mercedes, vamos. No seas tonta. No vale la pena.

MERCEDES.— Por favor.

Carlos los mira.

CARLOS.— Estáis todos locos. Y yo no sé cómo he aguantado tanto rato esta mierda de selección. Es vergonzoso que nos obliguen a... Si tuviésemos un poco de dignidad ya hace rato que tendríamos que haberlos enviado a tomar por saco. Todos.

FERNANDO.— Anda, ve a hormonarte.

CARLOS.— Si sólo os tienen a vosotros para escoger, que no le pase nada a esta empresa.

FERNANDO.— Adiós.

CARLOS.— Adiós.

Carlos abre la puerta y se va.

Mercedes saca un paquete de cigarrillos y enciende uno. Coge el cenicero y se lo acerca.

ENRIQUE.— Perdona, no me quiero meter, pero...

MERCEDES.— Pues no te metas.

FERNANDO.— La chica sabe lo que quiere.

MERCEDES.— Mi madre haría lo mismo.

FERNANDO.— ¡Cojones, vaya familia!

MERCEDES.— Antes es cuando la he cagado. Antes, cuando me ha llamado la primera vez, tendría que haber ido. Ahora ya es tarde.

Mercedes va hasta el buzón y llama.

Venga chicos, que es para hoy, ¿a qué más tenemos que jugar?

ENRIQUE.— Te lo repito. Es cierto que, al principio, nos han dicho que quien saliera de la sala, fuese por lo que fuese, quedaba excluido del proceso, pero era una norma que no podía contemplar un hecho como éste. Estoy seguro de que el departamento de personal entenderá perfectamente que te vayas y no lo tendrá en cuenta a la hora de tomar una decisión.

Fernando y Mercedes se miran.

FERNANDO.— Yo tenía razón. Eres tú.

ENRIQUE.— No, no soy yo. No tengo nada que ver con esta empresa, pero es lógico... Es un caso... Vaya, más grave no puede ser.

MERCEDES.— ¿Trabajas aquí?

ENRIQUE.— No.

FERNANDO.— Eres el único que no ha dicho en qué empresa trabajaba, y esta manera de hablar, esto que le has dicho a ella... "El departamento de personal entenderá perfectamente..."

ENRIQUE.— Es que estoy convencido de ello. Esta gente nos ha hecho pruebas extrañas, pero tampoco deben ser unos monstruos. Además, no pueden esperar que Mercedes muestre una actitud normal, evaluable, teniendo en cuenta lo que le acaba de ocurrir.

MERCEDES.— Para mí, conseguir este trabajo es muy importante. Mi madre no resucitará porque yo ahora corra hacia el hospital. Nos habéis puesto unas normas y pienso cumplirlas hasta...

ENRIQUE.— ¡Eh!, yo no he puesto ninguna norma. Soy un candidato como vosotros.

FERNANDO.— Y venga. Insiste... Muy bien. Si éste es el juego, jugaremos. Pero que conste que yo te he calado desde el principio.

MERCEDES.— ¿Tardarán mucho en pasarnos otro sobrecito?

ENRIQUE.— ¿Y yo que sé?

MERCEDES.— Porque me parece evidente que el hecho de quedarme demuestra mi interés por el puesto. Pero si me quedo es para algo. Si el trabajo depende de los jueguecitos estos, juguemos, pero rápido.

La puertecita se abre.

FERNANDO.— Mira, te han hecho caso.

MERCEDES.— Gracias.

Mercedes va hacia el buzón. Enrique la detiene.

ENRIQUE.— Espera.

Enrique va hacia el buzón y lo cierra sin coger el sobre.

No hace falta. Tenéis razón. Mi nombre es Esteban Rojas. Soy psicólogo del departamento de personal de Dekia.

FERNANDO.— Lo sabía.

ENRIQUE.— Quedaba un par de pruebas más, pero creo que, en vista de las circunstancias, podemos dejarlo.

MERCEDES.— Gracias.

FERNANDO.— Desde el principio. Que conste. Ahora bien, tu interpretación, magnífica, eres un actorazo. Espero que no te hayas molestado por nada de lo que te he dicho.

ENRIQUE.— Carlos Bueno está fuera del proceso. Sólo quedan ustedes dos.

MERCEDES.— ¿Y ahora qué haréis..., qué harán? ¿Cómo decidirán?

ENRIQUE.— En base a lo que hemos visto hasta ahora.

MERCEDES.— Si quieren hacer alguna otra prueba, por mí, ningún problema.

FERNANDO.— Sí, tú tranquila, ahora ya es cosa de la funeraria.

MERCEDES.— ¿Sabes qué? Tiene gracia. Me recuerdas a mi padre. Era como tú. Un cínico. *(A Enrique)* Venga, continuemos. Estoy lista.

ENRIQUE.— Bien... Si realmente quieren... Podemos hacer la última prueba. La que estaba prevista.

MERCEDES.— ¿Es larga?

ENRIQUE.— Depende de ustedes.

MERCEDES.— Adelante.

FERNANDO.— Perdona, ¿te puedo preguntar una cosa sobre este...?

ENRIQUE.— Luego, si lo desean, les explicaré las bases de todo el procedimiento, pero antes tienen que pasar la última prueba. De todas maneras, señorita Degás, le vuelvo a repetir lo que le he dicho antes. Entiendo perfectamente que tenga que irse. Son los dos últimos candidatos. Les podemos convocar otro día.

FERNANDO.— Yo no tengo ningún problema en volver otro día, pero es ella la que ha querido quedarse.

MERCEDES.— Prefiero acabar con esto.

ENRIQUE.— ¿Seguro?

MERCEDES.— Sí.

ENRIQUE.— Como quiera. La última prueba consiste en lo siguiente. Es un juego.

Enrique hace un gesto hacia donde se ocultan las cámaras y la puertecita se abre. Saca dos sobres.

Cada uno de ustedes tiene un objetivo oculto. Tienen que conseguir cumplirlo. Quien lo consiga antes, se queda; el otro tendrá que abandonar. Les daré a cada uno uno de estos sobres. Dentro hay una tarjeta en la que pone lo que tienen que conseguir el uno del otro. Los leen, vuelven a poner la tarjeta en el sobre y lo dejan encima de la mesa. Cuando uno de ustedes consiga el objetivo, se lo demostrará al otro enseñándole la tarjeta, y el otro abandonará la sala. Ésta es una manera de acabar la prueba. Hay otra. Si uno adivina cuál es el objetivo del contrario antes de que lo consiga, puede anunciarlo. Si acierta, también ha ganado. ¿Está claro?

Los dos asienten.

Yo saldré y les dejaré solos. Señor Porta, su sobre es el número uno. Mercedes, el suyo, el número dos.

Les da el sobre.

Lean la tarjeta.

Lo hacen.

FERNANDO.— ¡Cojones! Esto es...

ENRIQUE.— Si no quiere hacerlo, puede renunciar.

FERNANDO.— No, no. Pero es... Supongo que ella también lo tiene igual de complicado.

ENRIQUE.— No puedo decir nada. Vuelvan a guardarla. Dejen el sobre en la mesa.

FERNANDO.— A ver, que no me equivoque. Si consigo lo que pone aquí, gano, pero si ella lo adivina antes, pierdo.

ENRIQUE.— Exacto. Quien antes consiga el objetivo o adivine las intenciones del otro, se queda. El otro tiene que irse.

MERCEDES.— ¿Y si yo sé lo que él quiere conseguir, y entonces miro el sobre y no es eso?

ENRIQUE.— Fuera. Primero tiene que decirlo, después mira el sobre, si no lo ha acertado tiene que irse.

MERCEDES.— De acuerdo.

Dejan el sobre encima de la mesa.

ENRIQUE.— Suerte.

Enrique sale de la sala.

FERNANDO.— Vaya por Dios...

MERCEDES.— Sí.

FERNANDO.— Yo, el mío, es... Bueno, si el tuyo es igual de difícil nos podemos pasar aquí toda la noche.

MERCEDES.— Yo no tengo toda la noche.

FERNANDO.— No, claro. *(Bajando la voz)* De verdad, estos jueguecitos son... *(Con el dedo hace el signo de locura)*

MERCEDES.— Pero juegas a ellos.

FERNANDO.— Con lo que paga esta gente, si me lo piden, les bailo encima de la mesa el himno de Suecia. Ahora, una cosa es esto y la otra lo tuyo.

MERCEDES.— ¿Qué?

FERNANDO.— Que no puedo entender como, con esto de tu madre, continúas aquí como si tal cosa.

MERCEDES.— Continúo, pero no como si tal cosa. ¿Tú que habrías hecho?

FERNANDO.— No lo sé. No me ha pasado a mí, pero... Me gustaría ver cómo cuentas a tu familia que estabas aquí jugando al objetivo oculto y que por eso no has podido ir antes al hospital.

MERCEDES.— A mi familia no tengo que darle ninguna explicación.

FERNANDO.— Vale, vale... No es cosa mía.

MERCEDES.— Exactamente.

FERNANDO.— Pues manos a la obra, porque me parece que la cosa va para largo.

MERCEDES.— ¿Qué cosa?

FERNANDO.— Este juego. Tenemos que conseguir que el otro haga "algo" pero no podemos ir directos, tenemos que dar treinta vueltas, porque si nos pilla la hemos jodido. Éste está bien pensado. En el fondo, son técnicas de venta.

MERCEDES.— No veo la relación.

FERNANDO.— Vender es esto. Yo comencé con excursiones de abuelos. Los metía en un autocar con la excusa de que íbamos a ver el castillo de no sé qué, pero el objetivo auténtico era venderles de todo. Les llenábamos la barriga de vino de garrafa, y cuando los teníamos bien mamados, los encerrábamos en una sala y hasta que no compraban lo que teníamos previsto de allí no salía ni Dios. ¡Hostia, como nos hemos reído...! Un día colocamos doce rebobinadoras de cintas de vídeo en un grupo que eran sólo quince abuelos. Doce. Y te juro que ninguno de los que las compró tenía vídeo.

MERCEDES.— ¿Estás casado?

FERNANDO.— ¿Por qué me lo preguntas?

MERCEDES.— Para saberlo.

FERNANDO.— No, no estoy casado.

MERCEDES.— ¿Y eso?

FERNANDO.— Vocación. Y tú ¿estás casada?

MERCEDES.— No, tampoco. Pero he vivido en pareja.

FERNANDO.— Ah, muy bien. Me alegro.

MERCEDES.— ¿Hijos?

FERNANDO.— No, que yo sepa.

MERCEDES.— ¿Qué significa "no, que yo sepa"?

FERNANDO.— Tienes razón. Es una respuesta idiota. Como si los tíos no fuéramos a saber si tenemos hijos o no. Yo siempre he ido con todas las precauciones, pero si alguna vez hubiese dejado preñada a alguna, ¿se lo habría callado? Y una mierda. Me habría llamado con el Predictor todavía caliente. No, no tengo hijos.

MERCEDES.— ¿Te gusta la música?

FERNANDO.— No, no me gusta. Y que conste que te estoy dejando llevar el peso de la conversación porque me da la gana. No te creas que controlas nada.

MERCEDES.— ¿Qué es lo que te gusta?

FERNANDO.— Mi trabajo.

MERCEDES.— ¿Tienes amigos?

FERNANDO.— Claro que tengo amigos.

MERCEDES.— ¿De dónde son?

FERNANDO.— Pues... De donde son todos los amigos. De aquí y de allí.

MERCEDES.— ¿Pero son amigos de verdad?

FERNANDO.— No, son muñecos hinchables.

Mercedes enciende otro cigarrillo.

MERCEDES.— ¿Fumas?

FERNANDO.— No.

MERCEDES.— ¿Quieres que te diga lo que pienso de todo esto? Que no creo que nos cojan. Ni a ti ni a mí.

FERNANDO.— ¿Por qué?

MERCEDES.— Intuición.

FERNANDO.— ¿Y a quién quieres que cojan, a tu amigo de Esade?

MERCEDES.— Tengo la sensación de que están jugando con nosotros.

FERNANDO.— Mujer, eso está claro desde hace rato. Pero estos psicólogos son así. Me extraña que no nos hayan hecho jugar a las sillas musicales o a imitar sonidos de animales...

MERCEDES.— Yo tengo como un sexto sentido. Siempre lo he tenido. Cuando me quieren engañar me salta una alarma, y aquí hace rato que está sonando. Esto no es una selección de personal. Es otra cosa.

FERNANDO.— ¿Ahora vas al grano, eh? ¿Qué quieres, hacerme creer que todo esto es un engaño? ¿Es esto lo que tienes que conseguir? No, si fuera esto no habrías ido tan directa. Me estás probando... Ya te lo he dicho. Tengo el culo pelado de engañar a la gente, conozco todos los trucos.

MERCEDES.— Piensa lo que quieras. Creo que no nos darán ningún trabajo, pero también hay otra cosa que hace que me quede. Curiosidad, supongo.

FERNANDO.— Pues tiene que ser una curiosidad de la hostia. Porque se ha muerto tu madre y estás aquí charlando. Tú eres de ésas que sufren por el hambre del mundo y que dan dinero a Médicos sin Fronteras, pero se te muere la madre y te da tanta lástima como si se te hubiera pasado el arroz.

MERCEDES.— Y tú eres un mierda que te crees que puedes decirle a la gente lo que te pase por los cojones. Antes, Carlos no te ha dado la hostia que te mereces, ve con cuidado que no te la dé yo.

FERNANDO.— Perdona, no te ofendas. Si yo admiro tu actitud. Tu madre está muerta, en eso ya no puedes hacer nada, aquí tienes una oportunidad de oro para conseguir un trabajo de narices y luchas por ganártelo. No te retirarás a última hora por veinte minutos de nada. Yo admiro a las personas prácticas y tú lo eres. Me caes bien. En serio. Se ve que eres una mujer que sabe lo que quiere. Mira, te lo diré. Si me hubiera pasado lo mismo que te ha pasado a ti, me hubiera gustado reaccionar de la misma forma. Cuando te gane me sabrá mal, incluso. Nos podrían coger a los dos. Haríamos un buen equipo, ¿no crees?

MERCEDES.— ¿Has querido a alguien alguna vez?

FERNANDO.— Coño, qué cambios que haces.

MERCEDES.— Si no quieres, no contestes.

FERNANDO.— No, ningún problema. ¿Te refieres a una mujer?

MERCEDES.— Sí, una mujer.

FERNANDO.— Pues... no creo. Pero te diré una cosa, aunque no sé si te servirá. Una vez le pedí a una mujer que se casara conmigo.

MERCEDES.— Y te dijo que no.

FERNANDO.— Me dijo que sí. Iba sobre seguro. Si no, no se lo hubiera pedido.

MERCEDES.— Y después la dejaste, ¿no?

FERNANDO.— A la semana siguiente.

MERCEDES.— No es cierto.

FERNANDO.— ¿Ah, no?

MERCEDES.— No. Ya te he dicho que tengo un sexto sentido.

FERNANDO.— Pues chata, si los otros cinco funcionan como éste, háztelos mirar.

MERCEDES.— ¿Por qué te dejó?

FERNANDO.— Que la dejé yo... Da igual. Estoy intentando averiguar dónde quieres ir a parar con todas estas preguntitas, pero me parece que aún no has empezado. Estás tirando fuegos artificiales. Vas hacia un lado que no tiene nada que ver para, luego, cuando me tengas bien liado, atacar por sorpresa, pero no te saldrás con la tuya, guapa. Llevo demasiado rato aquí dentro como para dejarme atrapar. O sea, que si quieres continuar perdiendo el tiempo de esta forma, adelante. De tiempo, tengo mucho más que tú. Si continúas con esta estrategia llegarás tarde incluso al entierro.

Mercedes mira el reloj.

Si quieres llamar...

MERCEDES.— No, no quiero llamar.

FERNANDO.— Pues tu hermana te llamará pronto. ¿Qué le dirás?

Mercedes desconecta el móvil.

MERCEDES.— Ahora ya no me llamará.

FERNANDO.— *(Medio decepcionado)* Oooh.

MERCEDES.— ¿Qué?

FERNANDO.— Si casi no he tenido que hacer nada...

MERCEDES.— ¿Qué pasa?

FERNANDO.— ¿Y si te dijera que mi objetivo era algo tan simple como que desconectases el móvil?

MERCEDES.— No me jodas.

Fernando coge el sobre y saca la tarjeta. La ofrece a Mercedes.

Mierda.

Mercedes va a buscar la tarjeta, pero antes de que pueda coger-la, Fernando vuelve a guardarla y a dejar el sobre encima de la mesa.

FERNANDO.— No. No es éste.

MERCEDES.— Eres un... Muy gracioso.

FERNANDO.— Perdona, no me lo tengas en cuenta.

MERCEDES.— ¿Sabes por qué me he quedado? Porque me caes tan mal que quería darme la satisfacción de joderte.

FERNANDO.— Tu madre se sentiría orgullosa de ti.

MERCEDES.— Tú debes ser huérfano, ¿verdad?

FERNANDO.— ¿Huérfano?

MERCEDES.— Si tuvieras madre, no te reirías tanto.

FERNANDO.— Tengo madre y padre.

MERCEDES.— Espero que no necesiten nunca nada de ti.

FERNANDO.— Todo lo que necesiten de mí, lo tendrán. Esto ni
tocarlo. Puedo parecer lo que sea, pero, para mí, mis padres son
lo primero. O sea, que no insinúes ni por un momento que yo
puedo ser como tú. Y no hablo de una situación como la tuya,
que es de juzgado de guardia. Te hablo de toda una vida. Te hablo
de no fallarles nunca. Mis padres me han dado tanto, que por
mucho que haga en la vida, por mucho que intente devolverles
una pequeña parte de todo lo que les debo, nunca llegaré a acer-
carme a su generosidad. Ahora me has tocado la fibra, tú...
¿Sabes por qué no he tenido hijos? Porque creo que nunca podría
llegar a quererlos como mis padres me han querido a mí. Mi
padre... Tú eres una niña pija, ya se te ve... Yo no, yo soy de
barrio. Mi padre era revisor de la Renfe. Revisor de la Renfe toda
su puta vida. Hacía más horas que un reloj. Había noches que no
dormía en casa, pero cuando volvía, siempre me traía un regalo.
Cosas pequeñas. A veces, sólo un caramelo. Pero siempre, y
cuando digo siempre es siempre, me trajo algo. Sólo era un detalle, pero un detalle que significaba que nunca, en ningún momento, nunca se había olvidado de mí. De vez en cuando pasaba una
semana fuera, entonces mi madre, el día antes de que volviera,
compraba habas y entre los dos las pelábamos, y mi madre le
hacía habas con chorizo, que era el plato que más le gustaba. ¿No
entiendes de lo que te hablo, verdad? En tu casa no se comían
habas, claro. Pues en la mía sí, y para mí, ayudar a mi madre a
preparar las habas de mi padre era lo máximo. Todavía hoy, de
vez en cuando, le hacemos habas a escondidas. Y todavía hoy,
que tengo cuarenta años, mi padre me coge del brazo y me dice:
"Supongo que has ayudado a tu madre a pelar las habas", y me
da un capón como cuando tenía seis años. Tú no puedes enten-
derlo, pero veo los ojos de mi padre y sé que todavía se siente
orgulloso de mí. Y mi madre, igual. Pero tú no tienes ni puta idea
de lo que te estoy hablando. Tú te desconectas el móvil. ¿No
fuiste nunca a la cama de tus padres, cuando tenías miedo por las
noches? ¿Qué te crees, que tu madre no tenía miedo, hoy? ¿Sabes
que es lo más importante en esta vida para mí? ¿Sabes por qué
trabajo, por qué quiero prosperar en mi profesión? Te lo diré aunque no lo entiendas. Quiero que mi padre y mi madre puedan

mirarme siempre con los mismos ojos de orgullo con que me miraban cuando tenía seis años y hacía las cosas bien hechas. Por eso lucho, cojones. Por eso estoy dispuesto a todo, a ponerme un sombrero de cura y a lo que haga falta. Porque quiero que mis padres sepan que lo he conseguido. Y tú me llamas cínico a mí. ¿Crees que esto que haces demuestra que eres muy fuerte, que este trabajo es muy importante para ti? Lo único que demuestra es que no tienes valor. No tienes cojones para enfrentarte a la vida, a la vida de verdad. Y antes, vas y me preguntas si he querido alguna vez a alguien... Escúchame bien porque quizá aprenderás algo, hoy. Llegará un día, niña pija, que se te caerá el culo y las tetas te colgarán como un calcetín, llegará un día que de tu brillante carrera sólo quedará un plan de pensiones miserable, llegará un día que todo lo bueno habrá quedado atrás. Ese día ya les ha llegado a mis padres, pero me tienen a mí, siempre me tendrán a mí, hasta el final, y haré todo lo que haga falta para que piensen que su vida ha tenido sentido. Tú, ¿qué tendrás? Nada. Mirarás hacia atrás y sólo encontrarás mierda.

Fernando se queda mirando a Mercedes fijamente.

MERCEDES.— Dios mío...

Mercedes está llorando.

FERNANDO.— ¿Estás bien?

Mercedes saca un kleenex y se suena.

FERNANDO.— Perdona, pero es que me lo han puesto muy fácil.

Fernando coge el sobre, saca la tarjeta y la pone delante de Mercedes.

FERNANDO.— Tenía que hacerte llorar.

Mercedes lee la tarjeta.

MERCEDES.— Eres un hijo de puta.

FERNANDO.— Pero tengo razón, ¿verdad?

Mercedes recoge sus cosas.

Por cierto, mi madre está muerta, y con mi padre hace quince años que no nos hablamos.

Mercedes le echa una última mirada y se va.

Fernando se ha quedado solo. No sabe, exactamente, hacia donde mirar.

Ya está, ¿no...? ¿Qué tenemos que hacer ahora? ¿Salgo, me quedo, me espero...? Yo soy respetuoso con las reglas, habéis dicho que si salíamos, quedábamos fuera. Pues yo me espero.

Fernando coge el periódico y se pone a leer.

¿No os importa que acabe de leer el periódico, no?

Al cabo de unos segundos, de repente, cierra el periódico y se levanta.

Bueno, tampoco me quedaré a dormir aquí. ¿Me oye alguien?

Fernando va hasta el buzón y llama como si fuera una puerta.

¡Hola! ¿Hay alguien...? ¡Eh! Salgo un momento, pero sólo para ver si hay alguien.

Fernando va hasta la puerta doble. Intenta abrirla pero no lo consigue.

¡Qué cojones...! ¡Eh, que esto no se abre! ¡No bromeemos, eh!

Fernando va hasta la puerta lateral. Intenta abrirla, pero también está cerrada.

¿Qué es esto, otro juego de ésos? ¿No habéis tenido bastante? ¿Y ahora qué esperáis que haga, que la abra a patadas?

Fernando va a la ventana e intenta mirar al exterior, pero la ventana tampoco puede abrirse.

Si queréis poner a prueba mi paciencia, lo estáis consiguiendo. He hecho todo lo que me pedisteis. Esto ya es un poco... para tocar lo que no suena.

Fernando saca el teléfono móvil y hace una llamada.

¿Dekia...? ¿Podría ponerme con la sección de personal...? ¿No hay nadie? ¿Qué significa que no hay nadie? Yo estoy en la sección de personal... Sí, aquí, en el edificio. He venido a una entrevista... Bueno, una entrevista..., no me haga hablar. Tiene que haber alguien. Vuélvalo a probar en otra extensión... No, señor, no se han ido, no se pueden haber ido. Llevo aquí más de una hora con tres personas más... No, o sea, no, a ver si me entiende, las cuatro personas que había no se han ido, porque yo estoy aquí dentro y no me he ido porque no puedo abrir la puerta... Estaba con un tal Esteban Rojas, un psicólogo del departamento de personal... No me diga que no hay nadie que se llame así, porque... No, las cuatro personas no han firmado la salida... ¿Cómo quiere que haya firmado la salida si aún estoy dentro? Quiere hacer el favor de subir y abrirme, estoy en una sala de reuniones de la planta once... ¿En la planta once no hay ninguna sala de reuniones? Comienzo a estar hasta los cojones de todo esto. No, no es ninguna broma... No soy su cuñado Mariano. Haga el maldito favor de subir ahora mismo... A cagar te vas tú.

Le han colgado el teléfono.

Muy graciosos, eh, muy graciosos.

Fernando vuelve a intentar abrir la puerta.

¿De qué se trata? A ver quién se cansa antes Si dentro de cinco minutos no me han abierto, llamo a los bomberos.

Fernando se sienta.

Por cierto...

Fernando coge el sobre de Mercedes, lo abre y mira la tarjeta.

Está en blanco.

Se abre la puerta lateral y entra Mercedes. Lleva una carpeta debajo del brazo.

MERCEDES.— Señor Porta... Perdone. Soy Nieves Calderón, psicóloga del departamento de personal.

FERNANDO.— ¿Qué?

MERCEDES.— La entrevista ya ha terminado. Le presento a mis compañeros.

Entran Carlos y Enrique con amplias y cordiales sonrisas. También llevan una carpeta bajo el brazo.

Miguel García. Esteban Rojas.

CARLOS.— Encantado.

ENRIQUE.— Mucho gusto.

Se dan la mano en silencio. Fernando no sabe qué decir.

MERCEDES.— También son psicólogos del departamento. Entiendo que esté sorprendido. Reconozco que no se trata de un sistema habitual.

FERNANDO.— Pero... Qué fuerte... Eh, muy bueno, ha habido un momento que lo he pensado, pero luego... Bueno, luego he dudado y no... Si hubiera durado un poco más os habría pillado.

MERCEDES.— Hace poco que estamos implementando este tipo de prueba. Es un test desarrollado por Isaías Grönholm, un psicólogo sueco, el jefe de nuestro departamento de personal en la central de Estocolmo. Lo que pretende es evaluar la respuesta del candidato ante distintos estímulos emocionales. Mide lo que él llama "inteligencia creativa".

FERNANDO.— Cojones con el Grönholm...

MERCEDES.— No le preocupe no haber adivinado quiénes éramos. No era esto lo que se evaluaba.

FERNANDO.— Pero... No lo entiendo, tú... Usted ha dicho que trabajaba en Rawental y conocía gente de allí.

CARLOS.— Trabajé para Rawental y aún tengo muchos amigos.

FERNANDO.— Ya... Muy bueno, eso del cambio de sexo. Me lo he creído, eh.

CARLOS.— Gracias.

FERNANDO.— Y lo de la madre muerta... ¿Y todo esto qué significa, que tengo el trabajo o que no?

MERCEDES.— Hay otros candidatos.

FERNANDO.— Ah, ya.

MERCEDES.— Pero... De todas maneras, le podemos avanzar que estamos... impresionados.

FERNANDO.— He hecho lo que me ha parecido más adecuado para lograr los objetivos de cada prueba.

MERCEDES.— No, no, ha estado usted... brillante. Antes de quince días nos pondremos en contacto para comunicarle nuestra decisión.

FERNANDO.— ¿Hemos terminado?

MERCEDES.— Sí, hemos terminado. Espero que no se haya molestado por ninguna de las cosas que han pasado aquí.

FERNANDO.— No, no. En absoluto.

ENRIQUE.— Como puede suponer, todo es confidencial. Las conclusiones que sacaremos de la prueba serán sólo de uso interno.

FERNANDO.— Ya. ¿O sea que puedo irme?

MERCEDES.— Sí.

FERNANDO.— Pues... adiós.

MERCEDES.— Adiós. Y gracias.

Fernando se da la mano con los tres y va hacia la puerta.

FERNANDO.— Muy bueno, eh... Todo esto... Muy bueno.

Fernando se va.

MERCEDES.— Venga, primeras impresiones.

ENRIQUE.— Yo no lo descartaría.

CARLOS.— No ha demostrado empatía en ninguno de los casos, pero eso, en principio, tampoco es malo.

ENRIQUE.— En comparación con los otros, creo que debemos tenerle en cuenta.

MERCEDES.— Por favor... ¿Habláis en serio? Si es un pobre desgraciado.

ENRIQUE.— Yo no lo veo tan desgraciado. Quizá debiéramos haberlo dejado más rato solo. En el protocolo se da mucha importancia a esta prueba... Ha aguantado mucho más que la mayoría. Tiene una fortaleza de carácter poco común.

MERCEDES.— ¿Cómo puedes sacar estas conclusiones?

CARLOS.— Tampoco hay que exagerar. Cuesta doblegarlo, pero no diría que es de los que soportan cualquier presión.

ENRIQUE.— No pongo la mano en el fuego por él al cien por cien, pero ha tenido una respuesta positiva.

MERCEDES.— Esteban, me sorprendes.

ENRIQUE.— ¿Por qué?

MERCEDES.— Porque está claro que no es, ni de lejos, el perfil que estamos buscando.

ENRIQUE.— Buscamos un tipo fuerte, seguro de sí mismo, que soporte la presión, que no ceda... Éste es así.

MERCEDES.— ¿Fuerte? ¿Tú crees que este tío es fuerte?

ENRIQUE.— Sí.

MERCEDES.— ¿Tú también?

CARLOS.— Hombre... Yo no le definiría como el arquetipo de hombre fuerte..., pero débil tampoco lo es.

MERCEDES.— Por favor... No puedo creerlo. Si con todo lo que ha pasado aquí todavía no lo veis claro, no sé por qué hacemos este tipo de pruebas... ¿Qué, todavía dudáis? Muy bien. De acuerdo. Podemos... Ahora veremos lo fuerte que es.

Mercedes va hasta la puerta lateral, la abre y habla hacia dentro.

¿Luis? Avisa a recepción, que le digan al señor Porta que vuelva a subir.

ENRIQUE.— ¿Qué quieres hacer?

MERCEDES.— Así os quedaréis tranquilos. Ahora veremos si está tan seguro de sí mismo, si aguanta todas las presiones. Cuando suba, le sacamos toda la mierda, pero toda, y si aguanta, si lucha, os daré la razón y me lo pensaré.

ENRIQUE.— ¿Le vas a decir... la verdad?

MERCEDES.— Vosotros seguidme. Si se defiende, te aseguro que me comeré todo lo que he dicho. No, todavía más, si después de lo que le pienso soltar se queda, nos planta cara, reconoceré mi error y lo propondré para el puesto. Mira lo que te digo.

ENRIQUE.— Muy segura estás.

MERCEDES.— Completamente. Pero vamos a ir a por él, sin miramientos. Los tres. Estoy segura de que cuando acabemos, el tío se levanta y se va. Eso si no se pone a llorar.

ENRIQUE.— Pero, ¿qué le piensas decir?

MERCEDES.— Todo. De la A a la Z.

ENRIQUE.— Pero...

Llaman a la puerta. Se miran los tres un instante.

MERCEDES.— Adelante.

Fernando entra.

FERNANDO.— Me han dicho que vuelva a subir...

MERCEDES.— Sí, siéntese, por favor.

Fernando se sienta.

Lo hemos estado hablando y creemos que no vale la pena esperar quince días. De hecho, lo tenemos muy claro.

FERNANDO.— ¿Ah, sí?

MERCEDES.— Sí, el puesto no es para usted. Y estamos todos de acuerdo. ¿Miguel?

CARLOS.— Absolutamente. Por mi parte, ni pensarlo.

MERCEDES.— ¿Esteban?

ENRIQUE.— No, no, sería un grave error contratarlo.

MERCEDES.— Lo siento. Creo que es mejor que lo sepa ahora, así no perderá espacio mental conservando alguna esperanza.

CARLOS.— Y de espacio mental no anda sobrado, precisamente.

FERNANDO.— Pero...

MERCEDES.— ¿Quiere una explicación? Pues se la voy a dar. Las pruebas a que le hemos sometido estaban diseñadas en relación

a su perfil. *(Mercedes consulta los papeles de su carpeta)* **Sabemos
que después de la muerte de su madre estuvo un año sin trabajar.
Su baja por depresión duró...**

ENRIQUE.— Diez meses.

MERCEDES.— ¿Es exacto, no?

FERNANDO.— Sí, pero...

MERCEDES.— ¿Todavía toma medicación?

FERNANDO.— No.

MERCEDES.— La baja costó a su empresa sesenta y cinco mil euros.

ENRIQUE.— Sabemos que estuvo casado y su mujer le denunció.
Hay dictada una orden de alejamiento. ¿Es cierto, no?

FERNANDO.— Bien, sí, pero en el juicio...

CARLOS.— Usted ha estado toda la sesión mintiendo.

ENRIQUE.— Ya nos ha dicho que ha hecho lo que consideraba más
adecuado para superar las pruebas, y esto lo valoramos, pero...

FERNANDO.— A ver, a ver... Mi mujer...

CARLOS.— No nos cuente más mentiras. Hemos hablado con su ex
mujer.

FERNANDO.— ¿Qué?

ENRIQUE.— Supongo que ya se imagina lo que nos ha contado.

FERNANDO.— No sé lo que les habrá contado, pero...

MERCEDES.— En el juego de los sombreros no ha podido escoger. Le hemos dejado la mitra de obispo. Sabemos que a los doce años entró en el seminario y sabemos lo que ocurrió.

FERNANDO.— Es que soy de Burgos, y allí es muy habitual...

MERCEDES.— Y, finalmente, también sabemos que tiene un hermano homosexual con el que no mantiene ningún tipo de contacto.

FERNANDO.— ¿También han hablado con él?

MERCEDES.— Por supuesto.

FERNANDO.— Si no me hablo con mi hermano no es porque sea homosexual, es porque cuando murió mi madre, él...

MERCEDES.— Bien, en ninguna de las situaciones que le hemos planteado ha habido asomo alguno de empatía...

FERNANDO.— ¿Empa... qué?

MERCEDES.— Podría parecer que no se deja influir por motivos personales, pero... ¡Se le veía tanto el plumero! Hemos tenido que contener la risa en varias ocasiones. Qué manera de hablar... Ha dado bastante pena.

FERNANDO.— ¿Cómo han sabido todo esto?

MERCEDES.— Pero si no lo contratamos, no es por esto. ¿Sabe qué es el efecto boomerang?

FERNANDO.— El efecto... Bien... No.

MERCEDES.— La agresividad, a veces, puede volverse contra uno. Sobre todo en su caso. ¿Sabe por qué? Porque era una agresividad impostada. No era real. Era una actitud externa. Una simulación. ¿Qué puede suceder con una persona como usted ante un conflicto laboral?

ENRIQUE.— Puede generar un conflicto de más gravedad.

MERCEDES.— Ya tiene sus explicaciones. Y ahora, vámonos. Por un día que puedo llegar a casa antes que me metan los niños en la cama no quiero perder más tiempo hablando con este hipócrita.

FERNANDO.— Escuche...

MERCEDES.— ¿Sí?

FERNANDO.— Yo... No, nada.

MERCEDES.— ¿Qué se creía, que nos iba a engañar? Su vida es un desastre absoluto, personalmente y profesionalmente, y permítame decirle que estoy convencida de que continuará igual.

Fernando les mira en silencio.

No buscamos un buen hombre que parezca un hijo de puta. Lo que necesitamos es un hijo de puta que parezca un buen hombre.

ENRIQUE.— Para entendernos. Ha metido la pata hasta el fondo. Una vez más. Y ya van muchas, ¿no?

MERCEDES.— Puede dar gracias que esto no va a salir de aquí porque ha dado mucha lástima. *(Mira el reloj)* ¡Huy, es muy tarde! Ya hemos terminado. Muchas gracias.

Los tres psicólogos recogen sus papeles. Fernando continúa sentado, inmóvil.

¿A qué hora tenemos el de mañana?

ENRIQUE.— Por la tarde. A las cinco. ¿Tengo que hacer lo del hijo deficiente...?

MERCEDES.— No, con el de mañana es el ataque epiléptico y tú el ludópata.

ENRIQUE.— Ah, sí, sí, es verdad, que es el... Vale, vale.

Mercedes se vuelve hacia Fernando.

MERCEDES.— Que ya hemos terminado. ¿O quizá quiere decirnos algo?

Fernando les mira unos instantes y niega con la cabeza.

(Mirando a Enrique) ¿Qué?

ENRIQUE.— De acuerdo. Tenías razón.

MERCEDES.— ¿Y qué más?

ENRIQUE.— Como siempre.

MERCEDES.— Estaba claro, pero así nos quedamos todos tranquilos. Venga, para casa.

Carlos se dirige a Fernando.

CARLOS.— Buenas tardes.

Se dan la mano.

Enrique tiene la caja de caramelos en la mano, también va hasta Fernando...

ENRIQUE.— ¿Un mentolín?

*Enrique sale con Carlos, conteniendo la risa. Mercedes también
ofrece la mano a Fernando.*

MERCEDES.— Adiós.

*Después de estrecharse la mano, Mercedes va hasta la puerta,
por la que ya han salido Carlos y Enrique, y espera a Fernando.
Pero Fernando continúa sentado. Saca su móvil y hace una llamada.*

FERNANDO.— *(Al teléfono)* Hola, chaval... Sí, sí, ya he terminado.
Escucha, que sí que vendré a la cena... No, no, al contrario, me
han dado el puesto. Si querían incluso que firmara el contrato,
pero en el último momento he tenido una iluminación y los he
mandado a la mierda... Porque están como un cencerro. Unos
pirados, te lo juro. Nos han hecho unas pruebas... Cuando te lo
cuente no te lo vas a creer... ¿Estás con los catalanes...? Que sí,
que ahora mismo voy. No, no hace falta que los mandes a tomar
por saco. Esperadme, ¿eh?

*Fernando desconecta el móvil. Mercedes todavía le observa.
Fernando está pensativo. Mercedes se le acerca.*

MERCEDES.— Sabe cómo salir, ¿no?

FERNANDO.— Sí, sí.

*Mercedes sale y apaga las luces. La sala queda iluminada única-
mente por la escasa luz que, a estas horas de la tarde, entra aún
por el ventanal. Fernando continúa sentado. Se lleva las manos a
la cabeza.*

Oscuro.

Colección de Teatro

teatro**autor**

teatro**infantil y juvenil** (SGAE / Anaya)

El árbol de Julia
Luis Matilla

La ciudad de Gaturguga
González Torices, José

La caja de música
Alfonso Zurro

Manzanas rojas
Luis Matilla

Tira-tira o La fábrica de tiras
Agustí Franch Reche

Se suspende la función
Fernando Lalana

Dora, la hija del Sol
Carmen Fernández Villaba

Animaladas
Rafael Alcaraz Sánchez

teatro**homenaje**

Hermógenes Sainz
Historia de los Arraiz

Antonio Buero Vallejo
Las trampas del azar

José López Rubio
La otra orilla

Lauro Olmo
Pablo Iglesias

Fernando Fernán-Gómez
Los invasores del palacio

Adolfo Marsillach
Extraño anuncio

Antonio Gala
El caracol en el espejo

El mercader de ilusiones
La historia de Gregorio Martínez Sierra y Catalina Bárcena
Enrique Fuster del Alcázar

José María Rodríguez Méndez
El pájaro solitario

biografías / memorias

Desde el escenario. Reflexiones y recuerdos
Jaime Salom

Francisco Nieva. Artista contemporáneo
VV AA

Gerardo Vera. Reinventar la realidad
Jorge Gorostiza

M.ª Teresa León. Memoria de la hermosura
Olga Álvarez (Coord.)

antologías

Salvador Távora y la Cuadra de Sevilla
Tres décadas de creación teatral
Salvador Távora

teatro**manuales**

1. Manual de producción, gestión y distribución del teatro
(2ª ed. totalmente revisada por el autor)
Jesús F. Cimarro

teatro**ensayo**

1. La escena española actual (Crónica de una década: 1984-1994)
Enrique Centeno

2. Reescribir la escena
Varios autores
Laura Borràs Castanyer (ed.)

3. Utopías del relato escénico
Varios autores
Laura Borràs Castanyer (ed., prólogo y notas)

4. Escenografías del cuerpo
Varios autores
Laura Borràs Castanyer (ed.)

5. El humor y la risa
Varias autoras
Asun Bernárdez Rodal (ed. y prólogo)

6. Deseo, construcción y personaje
Laura Borrás Castanyer (ed., prólogo y notas)

7. La escena imposible ante el globo mundial
Laura Borràs Castanyer (ed., prólogo y notas)

8. Traviesas de paz y campos de batalla
Lola Proaño y Alicia del Campo (ed., prólogo y notas)